4–8 Jahre

Rhythmik
im Elementarbereich

Wolfgang Flödl

schubi
westermann

PraxisBuch

So laden Sie die Dateien herunter:

Alle Dateien, die sich auf der CD befinden, stehen Ihnen auch als Download im Westermann-Onlineshop zur Verfügung. Gehen Sie dazu wie folgt vor:

Öffnen Sie den Westermann-Onlineshop, geben Sie die ISBN 978-3-03976-688-8 in das Suchfeld ein und starten Sie die Suche. Scrollen Sie auf der Produktseite nach unten zum Bereich „Audio". Dort finden Sie eine ZIP-Datei, die Sie direkt herunterladen können.

Alle Rechte vorbehalten.

Westermann Lernwelten GmbH
Georg-Westermann-Allee 66
D-38104 Braunschweig

© 2015 Westermann Schweiz AG
　　　　Breitwiesenstrasse 9
　　　　CH-8207 Schaffhausen
　　　　service@schubi.com
　　　　www.schubi.com

7. Auflage 2025

ISBN 978-3-03976-688-8

Vorwort

Rhythmik bietet ein breites Betätigungsfeld in der Erziehungsarbeit – im Vorschulbereich, im Schulalltag, in der Behindertenarbeit und in der Altenarbeit. Im Elementarbereich ist die Rhythmik von ausschlaggebender Bedeutung. Sie fördert auf spielerische Art und Weise Körperbewusstsein und Sinneswahrnehmung, verbessert Konzentration und Ausdauer und kommt dem Bewegungsdrang der Kinder entgegen.

Alle kennen den Begriff, doch jeder versteht etwas anderes darunter, weil Rhythmik zunächst nicht mit konkreten Inhalten erklärt werden kann. Ergebnisse sind nicht messbar im Sinne unserer heutigen Leistungsgesellschaft. Erfolge können nicht mit Zeugnisnoten oder Beurteilungen dokumentiert werden. Und doch spürt jeder, der sich mit Rhythmik auseinandersetzt, wie viel man damit erreichen kann.

Dieses Praxisbuch ermuntert alle zum Einstieg, die noch nie oder nur wenig mit Rhythmik gearbeitet haben. Es gibt aber auch erfahrenen Kindergärtnerinnen, Lehrkräften, Erzieherinnen und Therapeuten viele Anregungen, um ohne große Vorbereitung sinnvolle und gute Arbeit im Bereich der Rhythmik zu leisten. Die theoretischen Ausführungen, die praktischen Übungen und die Unterrichtshinweise bieten eine einfache Hilfestellung, um ohne große Vorbereitung sinnvolle und gute Arbeit im Bereich der Rhythmik leisten zu können. Die Beispiele geben auch Anregungen zum Entwickeln eigener Abläufe und Lektionseinheiten. Die *Aufgaben für die Lehrkraft* unterstützen unerfahrene Pädagoginnen und Pädagogen, sich selbst einen gewissen theoretischen und praktischen Grundstock anzueignen, der ihnen effektives Arbeiten ermöglicht.

In diesem Buch wurde die musikalische Komponente der Rhythmik bewusst reduziert, weil viele Elemente im „Praxisbuch Musikalische Früherziehung in Vorschule und Kindergarten" ausführlicher behandelt werden.

Die dem Buch beiliegende CD enthält Musik, Klänge und Texte, um allen, die (noch) nicht in der Lage sind, selbst zu musizieren, das nötige Klangmaterial an die Hand zu geben.

Wolfgang Flödl

Die Fotos entstanden im Kindergarten Ziemetshausen.
Ein herzlicher Dank geht deshalb an die Leiterin des Kindergartens,
Frau Barbara Meier, und an die Erzieherin Heidi Maier.

INHALTSVERZEICHNIS – BUCH

Vorwort	3
Inhaltsverzeichnis – Buch	4
Hinweise zur CD	7
Inhaltsverzeichnis – CD	8
Was ist Rhythmik?	11
Zur Geschichte der Rhythmik	12
Musik und Bewegung als Medium zur Entfaltung der Persönlichkeit	13
Grundsätzliches zur Durchführung von Rhythmikeinheiten	14
Anforderungen an die Lehrkraft	14
Der Rhythmikraum	15
Gruppenstärke	15
Das Material	15
Checkliste für die Nachbereitung einer Rhythmikeinheit	17
Einfache Übungen am Anfang der Rhythmikarbeit	17
Bewegen am Platz	18
Signalgesteuertes Bewegen im Raum	18
Begleitetes Bewegen im Raum	18
Arbeit im Raum	19
Bewegen im Raum mit Konzentration auf einzelne Gegenstände	19
Bewusstes und differenziertes Hören	21
Hörübungen	21
Musik und Bewegung	22
Musik und Sprache	23
Übungen mit der Stimme	23

Umsetzen von Geschichten	24
Lieder im Rahmen der Rhythmik erarbeiten	25
Erarbeiten des Liedes „Was ich machen kann"	26
Kommunikation	27
Übungen mit der Stimme	28
Übungen zur nonverbalen Kommunikation	28
Gestik	28
Mimik	30
Führen mit Körperkontakt	31
Führen mit akustischen Signalen	32
Bilder	32
Ordnungsübungen – sich einordnen und anpassen	35
Übungen ohne Material	35
Übungen mit Reifen	35
Übungen mit Gymnastiksäckchen	37
Übungen mit Luftballonen	37
Übungen mit Rhythmiktüchern und Luftballonen	39
Entwickeln und Fördern der Fantasie	40
Fantasieübungen mit dem Seil – Schulung der Feinmotorik	41
Sinnesschulung	44
Möglichkeiten zur Sinnesschulung	44
Sehen – Übungen mit Rhythmiktüchern oder/und Luftballonen	45
Hören – Übungen mit Rhythmiktüchern und Luftballonen	46
Tasten – Übungen mit unterschiedlichen Alltagsgegenständen	46
Riechen – Übungen mit Blumen	47
Schmecken – Übungen mit Getränken	48
Begriffsbildung	49
schwer – leicht	49
rund – eckig	50
lang – kurz	50
laut – leise	51
groß – klein	51
oben – unten, hoch – tief (optisch und akustisch)	51
Entwickeln des Körperbewusstseins	52
Übung zum Benennen und Bewusstmachen der Körperteile	53
Übungen zum Bewusstmachen der Hände und Finger	54
Übung zum Bewusstmachen der Bewegung von Zehen und Füßen	55

Mundmotorik **56**

Übungen zur Steigerung von Geschicklichkeit und rhythmischer Sicherheit **57**
    Übungen mit Zeitungspapier 58
    Übungen mit dem Reifen 59
    Übungen mit japanischen Papierbällen 60
    Übungen mit Holzwürfeln 61
    Partnerübungen mit Reifen und Holzwürfeln 62

Entwickeln von einfachen Tanzformen und Kindertänzen **64**
    „Bewegungskanon" als Kindertanz, ohne Partner 65
    „Bewegungskanon" als Kindertanz, mit Partner 66

Entwickeln von Tanzformen aus einfachen Liedern **67**
    Einfache Tanzform, entwickelt aus einem einfachen Lied:
    „Kleines Blättchen in der Hand" 67
    Tanzform ohne oder mit Musikbegleitung, entwickelt aus einem einfachen Lied:
    „Tiere wollen tanzen" 68

Einsatz von Orff-Instrumenten in der Rhythmik **70**
    Borduntöne zum Begleiten von Liedern im Rhythmikunterricht 71
    Pentatonik 72

Arbeitsblätter **75**
A1 Der Zirkus kommt, Teil 1 – Hörgeschichte zu Seite 25 75
A2 Der Zirkus kommt, Teil 2 – Hörgeschichte zu Seite 25 76
A3 Aus dem Bett und an die Arbeit – Hörgeschichte zu Seite 25 77
A4 Waldspaziergang im Sommer – Hörgeschichte zu Seite 25 78
A5 Bewegen im Raum – Zeigekarten zu Seite 33 79
A6 Sehen – hören – riechen – schmecken – Klebevorlage zu Seite 45 80
A7 Sehen – hören – riechen – schmecken – Ausschneidebogen zu A6 81
A8 Rhythmiktücher und Luftballone – Legevorlage zu Seite 46 82
A9 Sinnesschulung – Begriffsbildung – Ausmalblatt zu Seite 50 83
A10 Körperteile 1 – Zeigekarten zu Seite 53 84
A11 Körperteile 2 – Zeigekarten zu Seite 53 85
A12 Körperteile 3 – Zeigekarten zu Seite 53 86
A13 Baue in der Ebene – Vorlage zu Seite 61/62 87
A14 Baue in die Höhe – Vorlage zu Seite 61/62 88

Hinweise zur CD

Die CD enthält:

▷ Begleitmusik
▷ Signale und Klänge
▷ Lieder – Playbacks zum Mitsingen
▷ Arbeitsblätter und Lieder zum Audrucken (PDF)

▷ Die Audioelemente lassen sich auf jedem CD-Player abspielen und werden automatisch aufgerufen, wenn Sie die CD ins Gerät einlegen.

▷ Die Arbeitsblätter und Lieder im PDF-Format können Sie im Explorer Ihres Computers anwählen und in beliebiger Anzahl ausdrucken. Systemvoraussetzungen: Windows ab 98 und das Software-Programm Adobe Reader, das Sie gratis aus dem Internet downloaden können unter www.adobe.de.

Hörbeispiele und Playbacks

▷ Das Symbol ☉ neben den Aufgaben und Liedern weist auf Begleitmusik und Lieder zum Mitsingen oder auf Signale und Klänge hin, die Sie auf der CD finden.
Beachten Sie das Verzeichnis auf den Seiten 8 und 9.

▷ Die Audioelemente lassen sich mit jedem CD-Player auf die gewohnte Weise anwählen.
Bei entsprechenden Systemvoraussetzungen können Sie sie auch auf ihrem Computer anwählen und abspielen.

Arbeitsblätter

▷ Die Arbeitsblätter (Kopiervorlagen) im Format A4 finden sich am Schluss des Buches.
Sie bestehen aus Aufgabenblättern für die Kinder und Zeigekarten für die Lehrkraft.
Hinweise zum Einsatz der Arbeitsblätter im Unterricht finden Sie in den einzelnen Kapiteln.

▷ Die Anweisungen auf den Arbeitsblättern richten sich an die Lehrkraft. Erklären Sie den Kindern die Aufgabe entsprechend ihrem Alter. Am besten verstehen die Kinder, was zu tun ist, wenn gemeinsam ein Beispiel gelöst wird.

▷ Für den Rhythmikunterricht mit größeren Gruppen können die Zeigekarten vergrößert und laminiert werden.

▷ Die Blätter lassen sich direkt aus dem Buch kopieren oder auf der CD anwählen.
Zum Ausdrucken der Arbeitsblätter im PDF-Format muss auf Ihrem Computer die Software Adobe Reader installiert sein.

Lieder

▷ Alle Lieder lassen sich sowohl aus dem Buch kopieren wie auch von der CD ausdrucken. Beachten Sie die Hinweise zu den Arbeitsblättern.

▷ Die Lieder sollten vergrößert kopiert werden, wenn Sie sie den Kindern abgeben wollen.

Inhaltsverzeichnis – CD

Dieses Zeichen weist auf Begleitmusik, Signale, Klänge oder Playbacks auf der CD hin.

1	Blockflöte langsam	Bewegung	(1:09)
2	Blockflöte schneller	Bewegung	(0:41)
3	Verschiedene Instrumente: 7 Signale	Bewegung	(0:49)
4	Handtrommel langsam	Bewegung	(0:30)
5	Handtrommel schneller	Bewegung	(0:23)
6	Handtrommel sehr langsam	Bewegung	(0:32)
7	Handtrommel gehend	Bewegung	(0:24)
8	Handtrommel hüpfend	Bewegung	(0:30)
9	Handtrommel Galopp	Bewegung	(0:30)
10	Handtrommel langsames Gehen	Bewegung	(0:23)
11	Handtrommel schneller werdend (accelerando)	Bewegung	(0:37)
12	Handtrommel langsamer werdend (ritardando)	Bewegung	(0:36)
13	Handtrommel leise → laut (crescendo)	Bewegung	(0:35)
14	Handtrommel langsam → schnell → langsam	Bewegung	(0:39)
15	Handzimbel 1	Signale	(0:50)
16	Handzimbel 2	Signale	(0:46)
17	Klanghölzer	Signale	(0:47)
18	Glöckchen	Signale	(0:51)
19	Schellenstab, geschüttelt	Signale	(0:58)
20	Schellenstab, angeschlagen	Signale	(0:48)
21	Handtrommel, angeschlagen mit Schlägel	Signale	(0:52)
22	Handtrommel, angeschlagen mit flacher Hand	Signale	(0:48)
23	Tanzmusik (hoch – tief im Wechsel)	Bewegung, Tanz	(1:23)
24	Xylofon langsam	Bewegung, Tanz	(0:48)
25	Xylofon schneller	Bewegung, Tanz	(0:56)
26	Xylofon hüpfend	Bewegung, Tanz	(0:42)
27	Klavier 1: langsam	Bewegung	(1:269
28	Klavier: Chopin, Etude (langsam)	Bewegung – Klassische Musik	(1:39)
29	Klavier 2: schnell	Bewegung	(1:16)
30	Klavier: Chopin, Etude (langsam – schnell im Wechsel)	Bewegung – Klassische Musik	(2:05)

31	Klavier: Chopin, Etude (heiter)	Bewegung – Klassische Musik	(0:58)
32	Ein Elefant, ja, der balanciert	Lied – Playback (Buch S. 43)	(1:11)
33	Vivaldi: Jahreszeiten – Frühling	Klassische Musik	(3:32)
34	Vivaldi: Jahreszeiten – Herbst	Klassische Musik	(1:39)
35	Grieg: Peer Gynt – Morgenstimmung	Bewegung, Meditation	(1:41)
36	Bach: Air	Klassische Musik, Meditation	(1:45)
37	Bach: Largo	Klassische Musik, Meditation	(1:25)
38	Haydn: Nocturno F-Dur	Klassische Musik, Meditation	(1:58)
39	Gluck: Menuet d'Orphée	Klassische Musik, Meditation	(1:40)
40	Haydn: Symphonie mit dem Paukenschlag	Klassische Musik	(1:55)
41	Haydn: Symphonie Nr. 101, Die Uhr, 2. Satz	Klassische Musik	(1:05)
42	Smetana: Die Moldau – Quelle und Bach	Klassische Musik	(2:23)
43	Saint-Saëns: Karneval der Tiere – Aquarium	Klassische Musik	(1:30)
44	Saint-Saëns: Karneval der Tiere – Elefant	Klassische Musik	(1:24)
45	Saint-Saëns: Karneval der Tiere – Hennen und Hähne	Klassische Musik	(0:49)
46	Saint-Saëns: Karneval der Tiere – Kuckuck	Klassische Musik	(1:52)
47	Saint-Saëns: Karneval der Tiere – Vogelhaus	Klassische Musik	(1:11)
48	Rimsky-Korsakov: Hummelflug	Klassische Musik	(1:32)
49	Kleines Blättchen in der Hand	Lied – Playback (Buch S. 67)	(0:57)
50	Tiere wollen tanzen	Lied – Playback (Buch S. 68)	(2:03)
51	Zirkusmusik 1	Bewegung, Hörgeschichte A1/A2	(1:01)
52	Zirkusmusik 2	Bewegung, Hörgeschichte A1/A2	(2:06)
53	Was ich machen kann	Lied – Playback (Buch S. 26)	(1:03)
54	Der Zirkus kommt	Hörgeschichte A1/A2	(5:37)
55	Aus dem Bett und an die Arbeit	Hörgeschichte A3	(3:25)
56	Waldspaziergang im Sommer	Hörgeschichte A4	(3:11)

Die in diesem Buch erwähnten Rhythmikmaterialien und Orff-Instrumente finden Sie im SCHUBI Gesamtkatalog (www.schubi.com)

Was ist Rhythmik?

Rhythmik lässt sich mit der Erklärung „Erziehung durch Bewegung und Musik" zwar nicht erschöpfend, jedoch verständlich definieren. „Erziehung durch Bewegung" zielt ab auf *Lernen* durch Bewegung und auch Lernen durch die dadurch entstehenden Sinneseindrücke.

In der Rhythmik kommt es darauf an, Methoden, Ziele, Themen und Inhalte an der ganzheitlichen Situation des Menschen auszurichten. Neben der Fähigkeit, sich zu bewegen, werden alle Sinnesbereiche mit einbezogen. Der Mensch kann hören (z. B. auf Stimmen, auf Schritte), er kann sehen (z. B. seinen Nachbarn, seine Hände, Gegenstände), er kann riechen (z. B. an einer Blume, an einer Seife), er kann schmecken (z. B. Schokolade, Wurst, Apfelsaft). Durch den aufmerksamen Umgang mit seinen Sinnesorganen erlebt der Mensch eine Vielfalt von Eindrücken. Hat er sie innerlich verarbeitet, können sie in sein Verhalten und vor allem in spielerische Aktivitäten einfließen. So sammelt er Erfahrungen, erkennt und speichert seine Empfindungen und entwickelt daraus Interesse und Motivation. Dadurch erlangt er die Fähigkeit, innerlich frei zu werden und sich frei zu bewegen.

„Bewegungen sind mehr als nur Bewegungen, sie sind Urformen der Begriffe, des Denkens und der Haltungen des Menschen. Insofern ist motorische Erziehung eine besondere Form der geistigen Bildung ..." (Heinz Bach)

Jeder Mensch lernt von Geburt an. Die gesammelten Eindrücke, Bewegungsabläufe, Eigenschaften werden gespeichert, gegebenenfalls automatisiert und sind in der Regel zu jeder Zeit abrufbar. Der Mensch ist dann fit, geistig wendig und in der Lage, sich neue Situationen und Dinge schnell und unkompliziert anzueignen. Können diese Eindrücke, Abläufe und Eigenschaften durch verschiedene Umstände wie Krankheit, mangelnde Beschäftigungsmöglichkeit, unzureichende Bewegung, Behinderung oder Störung eines oder mehrerer Sinne nicht erlebt werden, wird die Entwicklung stark beeinträchtigt. Rhythmik kann helfen, Defizite in Bezug auf fehlende Eindrücke, Selbstvertrauen, Mut und Selbstbewusstsein auszugleichen. Sie ist auch ein wirkungsvolles Hilfsmittel, um solche Defizite zu erkennen. Genaues Beobachten der Bewegungsabläufe, das Erkennen von Problemen im Wahrnehmungsbereich und im sozialen Verhalten können den Betreuern wichtige Hinweise geben.

Rhythmik ist ein Prinzip, bei dem mehrere Elemente in Zusammenhang stehen. Zwischen diesen Elementen kommt es zu einem dynamischen Geschehen. Spannung und Entspannung, Ruhe und Bewegung wechseln sich ab. Diese Dynamik muss jeder Pädagoge selbst kennen und erspüren lernen und sie bei der rhythmischen Arbeit auch in der Gruppe erleben lassen. In ihrem Buch „Erziehen mit Musik und Bewegung" schreibt Catherine Krimm-von Fischer: *„Es ist jene Dynamik, von der Charlotte Pfeffer sagt: Sie treibt, steuert und bremst. Was bedeutet das? Das Kind muss vorerst in die Bewegung eingetaucht werden. Es soll mit dem ihm gegebenen Material vertraut werden, indem es einfach damit spielt und sich im Spiel treiben lässt. Dazu kommt die Musik, der Klang, die Sprache oder ein bestimmtes Geräusch, das sein Spiel begleitet und das Erleben steigert. Hier setzt nun bereits die Funktion des Steuerns ein. Die Musik oder eben ein gesprochener Impuls hat die Möglichkeit, das Spiel des Kindes zu steuern, es einem bestimmten Zweck zuzuführen. Dadurch wird nicht nur die Reaktion des Kindes, sondern auch seine Beziehung zum Gegenstand gesteuert."*

In der Rhythmik wirken vier Elemente zusammen: Raum, Zeit, Kraft und Form.

▷ *Raum:* Bei jedem Bewegungsablauf wird der Mensch in Beziehung zu dem ihm zur Verfügung stehenden Raum gesetzt. Es gibt Einschränkungen, Begrenzungen, Wände, Gegenstände oder auch Personen, die im Raum vorhanden sind. Nicht immer fühlt sich der Mensch in einem ihm fremden Raum geborgen und wohl. In der Praxis gilt es oft, ein Kind behutsam an den Raum zu gewöhnen und ihm den Raum vertraut zu machen. Danach kann es zu einer sicheren Bewegung geführt werden, die ihm auch Selbstvertrauen und innere Sicherheit gewährt.

▷ *Zeit:* Die Zeit ist ein sehr wichtiges Element in der rhythmischen Arbeit. Durch Hektik, Stress und Unruhe geht der Eigenrhythmus des Menschen häufig verloren. Störungen im Seelischen und Körperlichen sind vielfach die Folge von – effektivem oder vermeintlichem – Zeitmangel. Mit Hilfe der Rhythmik soll das Zeitgefühl soweit wiedergewonnen werden, dass mit der Zeit sinnvoll umgegangen werden kann. Ausgangspunkt kann sein, dass sich das Kind in einem selbst gewählten, nicht vorgegebenen Zeitrahmen beschäftigt. Hat es hier Selbstsicherheit erlangt, kann die weitere Arbeit an ein vorgegebenes Zeitmaß gekoppelt werden. Schnelles Reagieren und Anpassung an den zur Verfügung stehenden Zeitraum fördert Reaktionsfähigkeit und Selbständigkeit.

▷ *Kraft:* Die Kraft muss von jedem Menschen selbst gesteuert werden. Je nach Beschäftigung muss der Mensch nicht nur körperliche, sondern auch geistige Kraft aktivieren. Dieser Krafteinsatz steuert die körperliche Dynamik und führt zu Selbstvertrauen, Erfolgserlebnissen und lustvoller Betätigung.

▷ *Form:* Die Form ordnet den Ablauf einer Beschäftigung. Selbstsicherheit und Selbstvertrauen sind die Folge. Formloses Arbeiten führt zu Unaufmerksamkeit, Unkonzentriertheit und Unsicherheit. Form entsteht durch das richtige Verhältnis von Raum und Zeit.

Rhythmik lebt nicht von „Rezepten" und vorgeschriebenen Arbeitsschritten in bestimmten Situationen, sondern ist angewiesen auf einen wachen Pädagogen oder Erzieher, der aufgrund ausreichender Rhythmikkenntnisse, großem Einfühlungsvermögen, Sachkenntnis und pädagogisch-rhythmischem Geschick in der Lage ist, auf verschiedene Situationen spielerisch sinnvoll zu reagieren. Rhythmik darf nicht als Fach mit geregeltem Plan und fest organisiertem Ablauf verstanden werden, sondern als ein *Prinzip* und als nachhaltige Methode, Probleme mit elementaren Möglichkeiten anzugehen.

Zur Geschichte der Rhythmik

Nachdem die freie spontane Bewegungsäußerung des Menschen während langer Zeit an Stellenwert verloren hatte und die Bewegung beim Tanz auf ein Minimum reduziert worden war, besann man sich gegen Ende des 19. Jahrhunderts wieder mehr auf Rhythmus und auf die Bewegungsfreude des Menschen.

Als der Genfer Musikpädagoge Emile Jaques-Dalcroze (1865–1950) zu Beginn des vergangenen Jahrhunderts begann, die elementare Bewegung in die Ausbildung seiner Studenten aufzunehmen, rechnete er sicher nicht damit, dass diese Strömung Bewegung im weitesten Sinne mehr ins Bewusstsein rücken und im Laufe der Jahre für die Pädagogik allgemein eine enorme Wichtigkeit bekommen würde. Er hatte erkannt, dass sich der musikalische und der körperliche Rhythmus hervorragend ergänzen und gegenseitig steigern können. So ließ er seine Musikstudenten nicht nur musikalisch aktiv sein, er setzte in der Ausbildung auch verstärkt die rhythmische Körperbewegung als Hilfsmittel ein. Über vielfältigste Übungen und die Improvisation wirkte sich die Rhythmik auf die musikalisch-künstlerische und die musikinterpretatorische Arbeit aus. Zugleich stellte Jaques-Dalcroze fest, dass sich positive Wirkungen in pädagogischen Prozessen und im sozialen Lernfeld zeigen. Auf seine Initiative wurde am Konservatorium in Genf die „Rhythmische Gymnastik" bereits 1904 zum Pflichtfach erklärt.

1910 errichtete Wolf Dohrn in Dresden die Gartenstadt Hellerau. Hier bot sich für Emile Jaques-Dalcroze die Möglichkeit, seine Ideen einem breiten Publikum zu vermitteln. Tänzer, Gymnastiker und Musikpädagogen waren seine Mitarbeiter. Mit Ausbruch des ersten Weltkrieges wurde diese Ausbildungsstätte geschlossen und seine Mitarbeiter und Schüler zerstreuten sich.

Die Ideen von Jaques-Dalcroze verbreiteten sich rasch, nicht zuletzt dank zwei seiner bekanntesten Schülerinnen, Elfriede Feudel und Mimi Scheiblauer, die das Prinzip der Rhythmik in der Arbeit mit Kindern etablierten. Wie ihr Lehrer vertrauten sie auf die Wechselbeziehung der musikalischen, körperlichen und emotionalen Erfahrung, die die rhythmische Arbeit hervorruft. Während Jaques-Dalcroze sein Hauptaugenmerk auf die Ausbildung und Schulung seiner Musikstudenten gelegt hatte, begann Elfriede Feudel (1881–1966) die Rhythmik als allgemein gültiges Erziehungsprinzip zu propagieren. Sie nannte dieses Prinzip „rhythmisch-musikalische Erziehung", die sie definierte als *„elementare Pädagogik, in der die Bewegung als Bindeglied zwischen Körper und Geist angesehen und in den Prozess des Lernens und Lehrens einbezogen wird"* (Elfriede Feudel). Sie achtete besonders darauf, dass nur mit Fähigkeiten und Anlagen gearbeitet wird, die der Mensch von Geburt an mitbekommen hat.

Während Elfriede Feudel vornehmlich mit normalen, durchschnittlich begabten Kindern arbeitete, nahm sich Mimi Scheiblauer (1891–1968) der Kinder und Jugendlichen an, die körperlich oder geistig behindert waren. Sie setzte Klänge, Töne, Instrumente, aber auch diverse Materialien ein, um die Kinder zu elementaren Bewegungsäußerungen zu veranlassen und betrachtete vor allem die Entwicklung der Erlebnisfähigkeit und der Fantasie als Grundlage für die Entfaltung kreativer Fähigkeiten. Im Mittelpunkt ihrer Arbeit stand die Förderung der Basisfähigkeiten wie Ordnungssinn, Fantasie, Begriffsbildung, Koordination und soziale Kompetenz.

Um 1915 lernte sie Heinrich Hanselmann kennen, den Gründer und Leiter des Heilpädagogischen Seminars Zürich (HPS). 1924 wurde sie Dozentin in seinem Institut; im gleichen Jahr wurde Rhythmik am Heilpädagogischen Seminar Zürich zum Pflichtfach. Bis zu ihrem Tode stand Mimi Scheiblauer als Pädagogin, Heilpädagogin, Musikerin, Ausbildungsleiterin und Dozentin in ihrem Beruf.

Musik und Bewegung als Medium zur Entfaltung der Persönlichkeit

Grundlage der Rhythmik ist zweifellos die Erkenntnis, dass jede Bewegung des Menschen zielgerichtet und sinnvoll ist. Die Bewegung als Hauptbestandteil der Rhythmik gehört deshalb zu den wichtigsten Lebensäußerungen des Menschen. Die ersten Bewegungen des Kleinkindes dienen der Eroberung der Umwelt. Es bewegt sich nicht nur um der Bewegung willen, es möchte mit seiner Bewegung etwas be-greifen und kennenlernen. Es macht Bekanntschaft mit verschiedenen Materialien von unterschiedlicher Oberflächenbeschaffenheit und Wärmequalität. Es entwickelt die Fähigkeit zu differenzieren und zu unterscheiden und nimmt Kontakt mit seiner Umwelt auf.

Musizieren ist auch eine Art Bewegung – eine in Töne gefasste Bewegung. Deshalb ist das Zusammenwirken von Bewegung und Musik eine ideale Kombination zur Förderung behinderter und nicht behinderter Menschen – Kinder oder Erwachsener. Musik löst in der Regel einen Bewegungsimpuls aus. Jede Art von Erlebnis wird durch Musik intensiviert, umgesetzt in Bewegung hat sie eine regulierende Funktion.

In der Kombination Musik und Bewegung stehen dem Menschen einzigartige Möglichkeiten zur Verfügung, die spielerisch ordnend, emotional anregend und besonders gemeinschaftsfördernd wirken können. Schnell erkennt der Mensch bei gemeinsamem Singen, gemeinsamem Musizieren, gemeinsamem Tanzen, dass dies nur gelingen kann, wenn eine gewisse Ordnung und gewisse Regeln eingehalten werden! Ein Lied wird nur dann zu einem Erlebnis, wenn gemeinsam eine Einheit erreicht wird. Ein Musikstück, bei dem mehrere Personen zusammenwirken, wird nur dann zum musikalischen Genuss, wenn es harmonisch und geregelt abläuft. Ein gemeinsamer Tanz wird nur dann eine ansehnliche Form erhalten, wenn alle Beteiligten zur gleichen Zeit das Gleiche tun. Auch im Rhythmikunterricht wird z. B. bei der Aufgabe „alle gehen gleichzeitig durch den Raum, bleiben nicht stehen und stoßen mit keinem anderen zusammen" nur dann ein für alle befriedigendes Ergebnis erreicht, wenn sich tatsächlich jedes Gruppenmitglied an die vorgegebenen Regeln hält. Bei solchen Aktivitäten geht es nicht ohne besondere Aufmerksamkeit und diszipliniertes Einordnen in die Gruppe. Ein Reagieren auf Signale, auf Töne, auf Anweisungen, auf Beobachtungen u. Ä. ist notwendig. Da es sich dabei um optische Signale wie Handzeichen, Noten und andere grafische Zeichen oder um akustische Signale wie Anweisungen, Klänge oder Musik handelt, sind die Teilnehmenden gezwungen, mit allen ihren Sinnen bei der Sache zu sein. Konzentration, Reaktion und Aufmerksamkeit werden gefordert und gefördert. Manchmal ist es sinnvoll, nicht alle Gruppenmitglieder gleichzeitig beginnen zu lassen. Das Kind muss abwarten, bis sein Einsatz gefragt ist. Das Warten, bis es an der Reihe ist, erzeugt Spannung und Konzentration. Je nach Aufgabenstellung muss es sich an bestimmte Spielregeln halten und entsprechend konzentriert arbeiten. Gleichzeitig wird es zu Toleranz, Geduld und Rücksichtnahme erzogen.

Nicht zuletzt ist auch die Erkenntnis wichtig, das die gestellte Aufgabe beim Musizieren, Singen und Tanzen *gemeinsam* gelöst werden kann. Dabei kommt es nicht darauf an, die Lösung nach Vorgaben zu erreichen, sondern eine Lösung nach eigenen Ideen und Fähigkeiten zu erarbeiten. Der *Weg* dahin ist manchmal wesentlich wichtiger als die Lösung selbst, weil er den momentanen Fähigkeiten entsprechend zum individuellen Ziel führen kann. Selbstvertrauen, Selbstsicherheit, die Gewissheit, etwas zu können, sind wichtige Ergebnisse bei diesen Vorgängen. Die Resultate sind zwar nicht messbar, für einen aufmerksamen, wachen Pädagogen jedoch leicht zu erkennen. Bei solchem Arbeiten handelt es sich nicht um eine spezielle Unterrichtsmethode, sondern um eine prinzipielle Tätigkeit, die in allen pädagogischen Bereichen sinnvoll ist und überall angewandt werden kann.

Grundsätzliches zur Durchführung von Rhythmikeinheiten

Anforderungen an die Lehrkraft

▷ Stellen Sie sich voll auf die Arbeit im Bereich Rhythmik ein.
▷ Jede Rhythmikeinheit sollte gut geplant und durchdacht sein, damit das vorgesehene Ziel erreicht werden kann.
▷ Bringen Sie sich selbst in den Unterricht mit ein. Es ist wichtig, dass Sie sich aktiv am Gruppengeschehen beteiligen und auch in der Lage sind, Tätigkeiten vorzumachen. Überlegen Sie sich deshalb, ob Sie im Vorfeld einer Lektion manche Teile vielleicht selbst üben sollten, damit Sie Ihrer Vorbildfunktion gerecht werden können.
▷ Versuchen Sie, vor der Lektion zur Ruhe zu kommen, um entsprechend ruhig und voller Konzentration arbeiten zu können.
▷ Die geplante Unterrichtseinheit sollte ohne Unterstützung durch ein Skript in der Hand ablaufen. Nur so können Sie wendig und schnell auf Vorschläge und Aktionen der Kinder reagieren.
▷ Um eine ruhige Arbeitsatmosphäre zu erreichen, ist es sinnvoll, zusammen mit den Kindern bestimmte Regeln (nicht zu viele!) aufzustellen. Beispiele: Immer möglichst leise sein – sich gegenseitig nicht ablenken – nicht dazwischensprechen – Handzeichen für bestimmte Dinge verabreden, z. B. die Hand heben, wenn ich etwas sagen will.
▷ Beobachten Sie die Gruppe konzentriert und aufmerksam, um eventuelle Unstimmigkeiten schnell feststellen zu können.
▷ Schöpfen Sie die Aufnahmefähigkeit und Konzentrationsfähigkeit der Kinder oder der Gruppe nie ganz aus.

Der Rhythmikraum

▷ Der Rhythmikraum soll so groß sein, dass sich die Kinder bei allen Aktivitäten ungehindert bewegen können. Bei idealer Raumgröße hat jedes Kind im Stehen um sich herum 1–2 m² freien Raum.

▷ Der Raum soll hell und gut temperiert sein, gut gelüftet werden können und eine angenehme Atmosphäre ausstrahlen. Der Gymnastikraum / die Turnhalle ist meistens geeignet, es darf jedoch nie der Eindruck entstehen, dass es sich bei Rhythmik um Sport oder Turnen handelt. Sport ist Erziehung *zur* Bewegung – Rhythmik ist Erziehung *durch* Bewegung.

▷ Die eingeplanten Rhythmikmaterialien sollten zu Beginn der Lektion bereitliegen. Ein Suchen oder Kramen im Schrank nach Materialien stört immer und hat oft einen Bruch im Ablauf der Lektion zur Folge.

▷ Unnötige, überflüssige Gegenstände im Raum können ablenken und den Erfolg einer Rhythmikstunde sogar in Frage stellen.

Gruppenstärke

Grundsätzlich ist Arbeit im Bereich Rhythmik je nach Situation sowohl in der Gruppe wie auch in Einzelarbeit möglich. Soll das Sozialverhalten verbessert werden, ist eine Gruppe notwendig, die im Idealfall 4–8 Kinder umfasst. Eine Rhythmikstunde mit einer größeren Anzahl Kinder kann sinnvoll sein, wenn es um Partnerarbeit oder Gruppenarbeit geht. Beim individuellen Arbeiten wiederum würde die Gruppe störend wirken. Ein wacher und kompetenter Pädagoge wird sehr schnell erkennen, mit welcher Formation er für die geplante Aufgabe zu einem optimalen Ergebnis kommt.

> Achten Sie darauf, dass bei Partnerübungen die Rollen regelmäßig getauscht werden.

> Übungen mit der Gruppe sollten so oft wiederholt werden, dass alle Kinder gleichmäßig zum Zug kommen.

Das Material

Material regt zur Bewegung an. Jedes Material – auch „wertloses" – kann wertvolle Dienste leisten, wenn es zielgerichtet eingesetzt wird. Mit Form, Farbe und Gewicht übernimmt es im Rahmen der Rhythmik vielfältige Aufgaben.

Bereits Mimi Scheiblauer hat erkannt, dass Material verschiedenster Art den Menschen zur Beschäftigung anregt. Es motiviert zu Bewegungsformen, die nur in Verbindung mit eben diesem Material so entstehen können. So regt z. B. der Umgang mit dem Luftballon vornehmlich die Feinmotorik der Hände und Finger an, während ein schwerer Gymnastikball an erster Stelle die Grobmotorik fördert. Durch die Lackierung der meisten Rhythmikgeräte in den Hauptfarben Rot, Grün, Gelb und Blau wird verstärkt auch der optische Sinn angeregt. Weitere Materialien wie Gymnastiksäckchen, Reifen, Tücher, Rhythmikbänder, Rhythmikseile, Spanstäbchen, diverse Bälle u. a. sind unentbehrliche Materialien für sinnvolle grob- und feinmotorische Arbeit. Begriffsbildende Übungen können ein Ziel sein, ebenso wie Übungen zur Gewichtserfahrung oder Geschicklichkeitsübungen. Material regt zum Tun an. Es lenkt den Menschen von sich selbst ab und bietet einen Schutzwall, hinter dem sich der Einzelne verstecken kann. Die Bewegung wird durch das Material freier und ungezwungener. Besonders günstig ist der Materialeinsatz bei Kindern, die in ihrer Bewegung gehemmt sind.

Neben dem offiziellen Rhythmikmaterial bieten sich viele andere, auch „wertlose" Materialien an (siehe Seite 16) – alle eignen sich für bestimmte Aufgaben. Oft sind solche Materialien sogar den farbigen Rhythmikgeräten vorzuziehen.

Rhythmikmaterial

– Bälle jeder Größe
– Papierbälle (Japanische Papierbälle)
– Luftballone
– Holzkugeln
– Farbige Baumwolltücher jeder Größe
– Seidentücher
– Rhythmikbänder
  (Stoffstreifen, ca. 4 cm breit und 1 m lang)
– Gymnastik-, Sand- oder Bohnensäckchen
  (ca. 10 x 12 cm)
– Rhythmikseile
– Reifen (Holzreifen sind besser als Plastikreifen)
– Stäbe
– Vierkanthölzchen
– Rundhölzer (Schlaghölzer)
– Holzklötzchen
– Holzwürfel
– Holzspanstäbchen
– Platzmatten (Teppichfliesen, Gummiquadrate o. Ä.)
– Rahmentrommel (Handtrommel, Tamburin)

Farbiges Rhythmikmaterial

„Wertloses" Rhythmikmaterial

„Wertlose" Materialien, die sich gut für die Rhythmik eignen

- Zeitungspapier
- Steine
- Laub
- Styroporchips
- Jogurtbecher
- Flaschenkorken
- Stofftiere
- Bierdeckel
- Toilettenpapierrollen
- Dosen aller Art
- Schachteln in verschiedenen Größen u. v. m.

Aufgaben für die Lehrkraft

- Lernen Sie verschiedene Rhythmikmaterialien und den Umgang damit kennen.
- Überlegen Sie sich Aufgabenstellungen, bei denen Rhythmikmaterialien zum Einsatz kommen können.
- Ordnen Sie Rhythmikmaterialien nach Ihren Eigenarten und Einsatzmöglichkeiten.
- Erfinden Sie Spiel- und Beschäftigungsmöglichkeiten mit den verschiedenen Materialien.

CHECKLISTE FÜR DIE NACHBEREITUNG EINER RHYTHMIKEINHEIT

Gehen Sie jede durchgeführte Unterrichtseinheit nochmals in Gedanken durch, um etwaige Unstimmigkeiten zu erkennen und für die Weiterarbeit diejenigen Punkte festzuhalten, die einer Korrektur bedürfen.

▷ Wie verlief die Stunde? Kam ich zum angestrebten Ziel? Wo waren Abweichungen notwendig und warum? Lag es an den Kindern oder war der Arbeitsplan zu ungenau, zu schwer verständlich? Waren die Formulierungen oder die Regeln zu kompliziert? Was will ich beim nächsten Mal ändern?

▷ Welche Kinder sind mir noch positiv / negativ in Erinnerung? Welche Kinder waren konzentriert dabei, welche nicht? Lag es am Material, am Partner ...?

▷ Waren alle notwendigen Materialien ausreichend vorhanden? Lagen sie bereit oder mussten sie erst im Schrank gesucht werden? Waren die Materialien für die Arbeit gut oder schlecht geeignet?

▷ War die eingeplante Zeit passend / zu kurz / zu lang?

▷ War das Thema ergiebig / weniger geeignet / nicht geeignet?

▷ Lief die Stunde rund ab? Ist der Einstieg gelungen, passte der Schluss?

EINFACHE ÜBUNGEN AM ANFANG DER RHYTHMIKARBEIT

Ziel dieser Einheit

▷ Entwicklung und Förderung des Körpergefühls

Die Kinder lernen ihren Körper kennen. Sie erleben bewusst Bewegungsabläufe am eigenen Körper, sie spüren Gleichgewicht und Balance und lernen, auf diese Empfindungen zu reagieren. Dabei sollen die Bewegungen der einzelnen Kinder ihrer individuellen Bewegungsfähigkeit entsprechen. Sportlich sehr aktive Kinder werden sich sicherer bewegen als Kinder, die nur wenig Übung und Körperbewusstsein haben. Auch hier gilt: Nicht das Ergebnis ist das Ziel, sondern der Weg dahin!

Bewegen am Platz
1-2

▷ Die Kinder stehen mit genügend Abstand verteilt im Raum. Wenn jedes Kind die Arme ausbreitet und sich um die eigene Achse dreht, sollte es kein anderes Kind berühren.
▷ Die Kinder stellen sich so hin, als ob sie am Boden festgeklebt wären. Sie prüfen durch Bewegung, ob sie auf diese Weise sicher stehen können.
▷ Die Kinder schwingen bei „festgeklebten" Füßen mit dem ganzen Körper. Sie versuchen, so weit zu schwingen, bis sie an die „Kippgrenze" kommen.
▷ Die Kinder schwingen mit beiden Armen / mit einem Arm / vorwärts / rückwärts / nach oben / nach unten. Sie zeichnen mit den Armen Figuren in die Luft. Sie bewegen bewusst Hände und Finger.
▷ Die Kinder suchen nach Möglichkeiten, den Kopf zu bewegen. Sie bewegen die Schultern einzeln / zusammen. Sie versuchen, Po oder Bauch zu bewegen.
▷ Zum Abschluss dieser Übungssequenz lassen Sie die Kinder frei im Raum umhergehen, damit auch die Bein- und die Grobmotorik wieder aktiviert werden.

Zur Unterstützung der Bewegung können Sie mit der Blockflöte oder einem anderen Instrument spielen – nur wenige verschiedene Töne, eine einfache Melodie oder ein richtiges klassisches Musikstück (evtl. ab Tonträger). Dabei kommt es nicht auf Perfektion an, sondern auf ein zielgerichtetes Musizieren.

Aufgabe für die Lehrkraft

▷ Beobachten Sie die Gruppe in Bezug auf Bewegung in Kombination mit Musik. Erreichen Sie mit der gewählten Musik Ihr Ziel oder eignet sich diese Musik wenig für Ihre Aufgabenstellung? Forschen Sie nach den Gründen. Suchen Sie diverse Musikstücke, die für die verschiedensten von Ihnen geplanten Aktivitäten geeignet sind. Arbeiten Sie sehr kritisch und genau. Dokumentieren Sie Ihre Ergebnisse. Beobachten Sie, ob alle Gruppenmitglieder die gleichen Reaktionen zeigen. Versuchen Sie herauszufinden, warum bei verschiedenen Kindern die Reaktionen verschieden ausfallen.

Signalgesteuertes Bewegen im Raum
3–14

▷ Die Kinder gehen frei durch den Raum, suchen sich eigene Wege, gehen rechtzeitig entgegenkommenden Kindern aus dem Weg, orientieren sich an der gesamten Gruppe. Es darf zu keinem Zusammenstoß kommen und jedes achtet darauf, dass der gesamte Raum ausgenützt wird und nirgends größere freie Flächen entstehen.
▷ Auf ein Signal – Klatschen, Handtrommelschlag, Triangelschlag o. Ä. – bleiben alle Kinder stehen und warten, bis ein weiterer Schlag zum Weitergehen auffordert.
▷ Bei einem ersten akustischen Signal bleiben alle Kinder stehen, auf ein zweites Zeichen gehen sie rückwärts. Dabei ist große Aufmerksamkeit gefordert, damit es beim Rückwärtsgehen nicht zur Kollision mit einem anderen Kind kommt.
▷ Wenn die Kinder ein lautes Signal hören, gehen sie stampfend weiter; ein leises Signal bedeutet Gehen auf Zehenspitzen.

Freies Gehen durch den Raum

Begleitetes Bewegen im Raum
1–2
4–14

Grundsätzliches siehe oben.

▷ Die Handtrommel steuert das Gehtempo: langsames Spiel – langsames Gehen / schnelles Spiel – schnelles Gehen / langsam beginnen und immer schneller werden.
▷ Jeder Schlag auf dem Instrument soll einen Schritt bedeuten.

▷ Wenn Sie ein Instrument beherrschen, können Sie das Tempo auch mit einer Melodie steuern. Wechseln Sie zwischen Dur- und Mollmelodien, fröhlichen und traurigen Klängen – die Folge kann heiteres, frisches Ausschreiten oder müdes, schwerfälliges Sichdahinschleppen sein.

Tipps:
Achten Sie darauf, dass Sie einen Tempowechsel durch geeignete Maßnahmen ankündigen, z. B. langsamer werden, damit sich die Kinder rechtzeitig darauf einstellen können.

Zu schnelle Tempowechsel verunsichern die Kinder und bringen eine unnötige Hektik ins Spiel.
Die Übungen sollen immer in einer ruhigen, gespannten und konzentrierten Atmosphäre stattfinden.
Am besten ist es, wenn die Kinder in Noppensocken („Stopper") oder barfuß an diesen Übungen teilnehmen.

Schließen Sie jede Lektion über einen längeren Zeitraum hinweg mit einem festen Ritual ab. Das kann ein Lied sein, eine Stilleübung, das Malen eines Bildes zur Vertiefung des Erlebten oder das Aufräumen des Materials, eingebettet in eine immer wiederkehrende Spielform. Beispiel: Lassen Sie die Kinder mit ihren Materialien durch den Raum gehen. Rufen Sie eines nach dem andern mit der Handtrommel ab. Jedes geht am Schrank oder am Regal vorbei und legt sein Material dort ab. Wenn alles aufgeräumt ist, lassen Sie die Handtrommel ausklingen, bis die Kinder zum Stillstand kommen.

Wichtig ist, dass die Stunde ruhig und entspannt ausklingt.

Arbeit im Raum

Ziele und Lerninhalte dieser Einheit

▷ Steigern von Konzentration und Aufmerksamkeit
▷ Sich vertraut machen und sich zurechtfinden in einem neuen Raum
▷ Erkennen von Klangeigenschaften im Raum
▷ Fördern der Vorstellungskraft

Die Kinder lernen aufmerksam und aufnahmebereit ihre Umgebung kennen und erleben den Raum mit allen Sinnen. Dazu gehört der optische Sinn genauso wie der akustische Sinn und der Bewegungssinn.

Bewegen im Raum mit Konzentration auf einzelne Gegenstände

1. Die Kinder gehen durch den Raum, benutzen den ganzen Raum, gehen die Wände entlang und betrachten alle Einzelheiten, die ihnen bewusst werden. Sie bleiben dabei nicht stehen ... Begleiten Sie die Kinder nach einer gewissen Zeit mit der Handtrommel und steuern Sie das Tempo mit Ihren Handtrommelsignalen. „Wenn ihr meine Handtrommel nicht mehr hört, bleibt bitte stehen und betrachtet das, was ihr gerade seht, besonders genau und merkt euch diesen Gegenstand." Bei dieser Übung wird durch die besondere Konzentration auf akustische Signale die gesamte Konzentration gesteigert und die Aufmerksamkeit gefördert. Die Kinder sollen sich genau merken, was sie gesehen haben, und sich später daran zu erinnern versuchen. Dann führen Sie sie mit Hilfe der Handtrommel weiter zum nächsten Gegenstand. Dieser Vorgang kann sich entsprechend der Aufnahmefähigkeit der Kinder mehrmals wiederholen. Anschließend treffen sich alle Kinder in einem Kreis in der Raummitte, schließen die Augen und überlegen sich, was sie im Raum alles gesehen und sich gemerkt haben. In Gedanken schreiten sie den Raum mit geschlossenen Augen ab.

2. Irgendwann geben Sie mit der Handtrommel ein Signal. Reihum nennen die Kinder den Gegenstand, an den sie gerade gedacht haben und beschreiben ihn mit geschlossenen Augen. Dieser Teil der Übung kann wiederholt werden, solange einzelne Kinder sich an Gegenstände im Raum erinnern können. Dann sollen sie sich noch einmal – mit geschlossenen Augen – an möglichst viele Gegenstände im Raum erinnern.

⊙ 35–39 Spielen Sie dazu leise Musik (Entspannungsmusik, Meditationsmusik). Sie erreichen damit eine Atmosphäre der Spannung, Konzentration und Aufmerksamkeit.

Um diese Unterrichtseinheit musikalisch abzurunden, lassen Sie alle Kinder mehrmals durch den Raum gehen, indem sie sich selbst mit Klatschen begleiten. Bitten Sie dann die Kinder, sich einfache Effekt- oder Rhythmusinstrumente aus einem Korb zu nehmen und ihre Schritte mit diesen Instrumenten zu begleiten. Dazu geben Sie Anweisungen wie „langsam gehen und langsam spielen", „schnell gehen und schnell spielen", „leise gehen und leise spielen", „laut trampeln und laut spielen". Zum Abschluss stellen Sie einen Behälter (Korb, Karton o. Ä.) in die Mitte des Raumes. Die Kinder gehen nacheinander daran vorbei, legen leise ihre Instrumente hinein und gehen leise im Raum weiter. Wenn alle Instrumente abgelegt sind und die Kinder immer noch im Raum umhergehen, spielen Sie noch einmal Musik ein, die dem Gehrhythmus der Kinder entspricht und von ihnen leicht erkannt und umgesetzt werden kann. Als Abschluss klingt die Musik aus und die Kinder bleiben stehen.

Aufgaben für die Lehrkraft

ohne Musik:
▷ Beobachten Sie sich selbst bei einfachen Bewegungen im Raum. Gehen Sie schnell / langsam / vorwärts / rückwärts. Bleiben Sie stehen und versuchen Sie zu spüren, welche Muskeln bei den verschiedenen Bewegungen aktiv sind. Erspüren Sie die Punkte auf Ihrer Fußsohle, die während des Gehens den Boden berühren. Versuchen Sie, nur auf den Fersen / auf den Zehen zu gehen. Treten Sie mit der ganzen Fußsohle fest auf den Boden (ohne große Erschütterung des gesamten Körpers) und wechseln Sie dann auf die Zehenspitzen. Stellen Sie sich vor, sie gehen über heißen Sand / ein Stoppelfeld / einen Kiesplatz / durch eine Wasserpfütze. Jede Gangart erfordert einen anderen Muskeleinsatz. Steuern Sie den Bewegungsablauf mit Ihrer Vorstellungskraft und Fantasie.
▷ Versuchen Sie, mit Ihrer Bewegung auszudrücken, in welcher körperlichen Verfassung Sie gerade sind. Gehen Sie müde / fröhlich / traurig / schnell / langsam / aufrecht / gebückt / zielstrebig ...
▷ Beobachten Sie Gruppenmitglieder / Passanten auf der Straße / Personen bei verschiedenen Tätigkeiten und versuchen Sie, aufgrund der Bewegungsabläufe auf ihre Absichten, Charaktereigenschaften usw. zu schließen.
▷ Notieren Sie die Ergebnisse Ihrer Beobachtungen und die Schlüsse, die Sie daraus gezogen haben. Dadurch sind Sie gezwungen, genau zu beobachten und genau zu definieren.

mit Musik:
▷ Suchen Sie sich eine für Sie angenehme Musik auf Tonträger und versuchen Sie, sich nach dieser Musik ⊙ 33–48 zu bewegen. Achten Sie darauf, dass Sie sich zunächst nicht am Rhythmus und am Takt orientieren, sondern bewegen Sie sich nach dem Inhalt der Musik. Möglicherweise werden Sie anfänglich mit einigen Schwierigkeiten zu kämpfen haben, da Sie gewohnt sind, sich in erster Linie nach Takt und Rhythmus einer Melodie zu richten.
▷ Versuchen Sie, die Struktur des gewählten Musikstückes zu erkennen. Ist sie einfach oder kompliziert? Ist die Musik langsam oder schnell? Welche Instrumente spielen mit und welche melodischen Linien werden von diesen Instrumenten verfolgt? Versuchen Sie die einzelnen Instrumente herauszuhören und sich danach zu bewegen. Nicht vergessen: Bewegung nach Musik erschöpft sich grundsätzlich nicht in der Beinarbeit, auch wenn beim Tanzen vornehmlich dieser Bereich des Körpers aktiv ist.
▷ Viel differenzierter und sensibler können Sie beim alleinigen oder zusätzlichen Einsatz der Hände tänzerisch aktiv sein. Benutzen Sie dafür Hörbeispiele von der beiliegenden CD und stöbern Sie auch in Ihrem CD-Archiv nach geeigneter Musik. Klassische Musik eignet sich grundsätzlich sehr gut für solche Übungen. Aber auch andere Musik ohne Text und ohne starke Rhythmusbetonung kann sehr anregend und passend sein.

Bewusstes und differenziertes Hören

Bevor die eigentliche Hörarbeit beginnt, sollen Stille und „Ruhigsein" geübt werden. Mit einer digitalen Stoppuhr (ohne Tickgeräusch), kann gut gemessen werden, wie lange die Gruppe leise sein kann. Meist haben die Kinder den Ehrgeiz, möglichst lange still zu sein. Das kann sogar zu einem kleinen Wettbewerb führen, der zu einer ständigen spielerischen Verlängerung der Stillephase führt. So erleben die Kinder auch die Wirkung längerer Stillephasen.

Bevor Sie mit Hörübungen beginnen, sollten Sie den Kindern die Funktion des Ohres erklären. Dazu gehören Spiele und Übungen, die das Hören bewusst machen. Bei dieser Gelegenheit ist es sinnvoll, auch auf die anderen Sinne des Menschen etwas einzugehen. Mit den Augen können wir sehen, mit der Nase können wir riechen, mit der Zunge können wir schmecken, mit den Fingern können wir tasten – *und mit den Ohren können wir hören!*

Musikhören ruft bestimmte Stimmungen hervor und kann Menschen im Sinne von therapeutischer Arbeit beeinflussen. Musik kann beruhigen, nervös machen, erheitern, aus Depressionen herausholen, ablenken, motivieren. Sicher spielen dabei das Tempo, der Rhythmus, die Melodieführung eine große Rolle. Musik kann unsere Sinne beeinflussen, sie kann wie eine Droge wirken, sie kann aggressiv machen und zu Gewalt verleiten. Musik kann mithelfen, dass wir Schmerzen nicht mehr so intensiv erleben, in extremen Fällen aber auch zu gesundheitlichen Störungen führen.

Auch wenn Sie selbst oder Gruppenmitglieder mit Instrumenten Klänge erzeugen, kann die Stimmung beeinflusst werden. Manche Instrumente können mit entsprechender Spieltechnik beruhigen, andere können aufputschen. Beobachten Sie deshalb die Wirkung der einzelnen Instrumente. Sollten z. B. die Zuhörenden sensibilisiert werden, ist ein sehr leises Instrument wie Fingerzimbel oder Triangel sicher besser geeignet als eine laut gespielte Pauke oder Trommel.

Hörübungen

3, 15–22

> **Ziele und Lerninhalte dieser Einheit**
>
> ▷ Erkennen der Wirkung von Tönen, Klängen und Geräuschen
> ▷ Gehörtes erkennen und unterscheiden
> ▷ Training des musikalischen Gehörs
> ▷ Zur Ruhe kommen, Stille spüren

▷ Die Kinder sitzen im Kreis und schließen die Augen. Setzen Sie sich in die Mitte des Kreises mit einem einfachen Instrument, z. B. einem Triangel, Klanghölzern, einer Zimbel. Die Kinder halten die Ohren mit beiden Händen leicht geschlossen („Bedeckt eure Ohren ganz leicht mit den Händen."). Spielen Sie einige Töne auf dem Instrument. Die Kinder sollen mit zugedeckten Ohren das Instrument erkennen und benennen. Dann folgt der gleiche Ablauf mit offenen Ohren, aber geschlossenen Augen. Wie klingen die Instrumente jetzt?
Bei dieser Übung ist es möglich, eventuelle Hörprobleme bei Kindern auf einfache Weise festzustellen.

▷ Die Kinder sitzen im Kreis mit geschlossenen Augen. Gehen Sie mit einem Instrument durch den Raum. An verschiedenen Stellen bleiben Sie stehen und spielen mit Ihrem Instrument einige Töne. Die Kinder halten die Augen geschlossen und zeigen schweigend in die Richtung, aus welcher der Ton kommt.

▷ Spielen Sie mit einer Handtrommel (oder mit einem anderen einfachen Instrument) laute und leise Töne. Die Kinder beschreiben mit eigenen Worten, was sie hören. Können alle Kinder alle Töne hören? – Auch diese Übung kann zur Diagnose eventueller Hörprobleme dienen.

Aufgaben für die Lehrkraft

▷ Finden Sie – bezogen auf Ihre mögliche Zielgruppe – Beschäftigungsmöglichkeiten, die das bewusste Hören in den Vordergrund bringen.
▷ Hören Sie verschiedene Musikstücke und Stilrichtungen und beobachten Sie die Wirkung auf Ihren Körper. Wie wirkt die Musik auf Sie? Wie fühlen Sie sich dabei? Können Sie erkennen, woraus sich die Wirkung auf Sie ergibt? Machen Sie sich darüber genaue Aufzeichnungen.
▷ Hören Sie genau auf die Klänge der einfachen, selbst gespielten Instrumente (z. B. Orff-Instrumente), beachten Sie dabei auch immer den z. T. lang anhaltenden Nachklang. Versuchen Sie, den Klang mit eigenen Worten zu beschreiben und spüren Sie seine Wirkung auf sich selbst. Ist er für Sie angenehm oder störend? Möchten Sie ihn mehrmals hören? ⊙ 3–22 24–31
▷ Lassen Sie auch Ihre Gruppe eine Wertung über gehörte Klänge abgeben. Beobachten Sie die einzelnen Gruppenmitglieder. Die Reaktion der einzelnen Kinder auf verschiedene Klänge kann ein aufschlussreiches diagnostisches Mittel sein. Wenn Sie wach, kompetent und verantwortungsbewusst mit Klängen umgehen, können Sie mit einer großen Zahl von Instrumenten arbeiten und zum angestrebten Ziel kommen.

Musik und Bewegung

Fast alles, was wir in unserer Fantasie sehen oder uns vorstellen, ist geprägt von Bewegung. Den Vogel denken wir uns fliegend, den ICE-Zug in Fahrt. Wir stellen also dauernd Beziehungen her zwischen Dingen und den für sie typischen Bewegungen.

Auch die Rhythmik arbeitet mit solchen Beziehungen, nicht nur zwischen Dingen und Bewegung, sondern auch zwischen Musik und Bewegung.
Hören wir Musik, animiert sie zu Bewegung. Wir sind gerne rhythmisch aktiv. Wenn wir uns nach Klängen und Musik bewegen, verbinden wir den akustischen mit dem motorischen Sinn ganz direkt. Wir übersetzen Klang in Bewegung. Deshalb ist es auch immer reizvoll, beim Umsetzen von Musik in Tanz oder Bewegung ihren Inhalt zu analysieren und sich entsprechend zu bewegen. Wir versuchen das Gehörte zu visualisieren und möglicherweise diese Erkenntnis anderen mitzuteilen.
Zwar ist es viel einfacher, sich am Takt oder am Rhythmus der Musik zu orientieren als am Inhalt, sicher hilft uns aber die inhaltliche Umsetzung mehr für das Verstehen der Musik.

Aufgaben für die Lehrkraft

▷ Suchen Sie sich unterschiedliche Musik aus Ihrem Archiv und hören Sie aufmerksam zu. Fühlen Sie sich vom gehörten Stück angesprochen oder gar berührt? Lässt Sie diese Musik eher gleichgültig? Versuchen Sie herauszufinden, woran ihre Empfindungen liegen.
▷ Versuchen Sie auch, sich zu dieser Musik zu bewegen. Gelingt es? Wo liegen die Schwierigkeiten? Bewegen Sie sich nicht (ausschließlich) nach dem Rhythmus oder dem Takt!

Gelingt Ihnen eine gute Umsetzung des Gehörten in Bewegung, sind Sie auf dem besten Weg, die betreffende Musik wirklich zu verstehen.

Musik und Sprache

Ziele und Lerninhalte dieser Einheit

▷ Umgang mit der eigenen Stimme
▷ Lautmalerischer Einsatz der Stimme
▷ Verbinden von Sprache und Tonhöhe (Intonation)
▷ Variieren von Lautstärke und Dynamik
▷ Angleichen der Sprache an musikalische Parameter

Die Verbindung von Stimme bzw. Sprache und Musik spielt in der Rhythmik eine große Rolle.

Die Stimme ist eine elementare Möglichkeit, sich zu äußern. Mit Hilfe der Stimme kann sich der Mensch mitteilen, er kann Stimmungen vermitteln – schon der einfache Laut des Gähnens hat Wirkung auf die Umgebung! Bereits im Mutterleib lernt das Kind die Stimme der Mutter kennen und wird damit vertraut. Beim Zubettgehen wirkt die Stimme der Mutter mit ihren vertrauten Eigenschaften beruhigend.
Eine Stimme kann viel bewirken, sie kann trösten, angenehm sein, aber auch fordern oder gar bedrohlich klingen. Der bewusste Umgang mit der Stimme ist deshalb von großer Bedeutung.

Übungen mit der Stimme

▷ Wir summen einzeln / zu dritt / alle. Wir summen leise / laut.
Wir imitieren einen Bienenschwarm und spüren die Vibration im Kopf – wir erleben die Wirkung auf den Körper.
▷ Wir sprechen bewusst Namen, Wörter und Sätze langsam und deutlich / laut / leise.
▷ Wir sprechen Wörter und Sätze mit verschiedenem Inhalt und begleiten sie in vorgegebenem Rhythmus mit Körperinstrumenten (z. B. klatschen, stampfen, auf die Schenkel klopfen) oder Orff-Instrumenten.
▷ Wir sprechen Namen / Wörter / Sätze / Begriffe mit vorgegebenem Rhythmus ab Tonträger (in der Art des Rap).
▷ Wir sprechen einen Liedtext in verschiedener Lautstärke / in verschiedenem Tempo / in unterschiedlichem Rhythmus und begleiten uns selbst mit Körperinstrumenten oder Orff-Instrumenten.
▷ Die Stimme übernimmt lautmalerische Funktion: Wir versuchen, bestimmte Geräusche nur mit der Stimme darzustellen (Wind / Regen / Verkehrsgeräusche / Tiergeräusche).
▷ Wir lachen / weinen / niesen / klappern mit den Zähnen ...

Aufgaben für die Lehrkraft

▷ Hören Sie auf Ihre eigene Stimme. Wie klingt sie? Wann müssen Sie sich anstrengen? Wie können Sie die Stimme einsetzen, damit sie angenehm klingt und Sie ohne Anstrengung lauten können?
▷ Versuchen Sie, einen Satz in verschiedenen Tonhöhen und Lautstärken zu sprechen. Wie fühlen Sie sich dabei?

Umsetzen von Geschichten

54–56

Ziele und Lerninhalte dieser Einheit

▷ Umsetzen von Inhalten in Bewegung
▷ Fördern von Fantasie und Spontaneität
▷ Steigern der Konzentration und des Reaktionsvermögens

Das Umsetzen von Geschichten in Bewegung bietet sich an, um Inhalte bewusst zu machen und eine Übereinstimmung von Sprache und Bewegung herzustellen. Dafür sind keine Vorkenntnisse oder besondere Fähigkeiten nötig. Spielerisch und ohne Druck werden Vorstellungskraft, Fantasie, Spontaneität, Konzentration und Selbstvertrauen angesprochen. Die Kinder hören eine Geschichte und versuchen, den Inhalt mit Klängen zu gestalten. Je nach Alter und Fähigkeiten können einfache Texte oder komplexere Geschichten und Gedichte verwendet werden. Wählen Sie Geschichten, denen alle Kinder ohne Probleme folgen können, also Geschichten aus ihrem Erlebnisbereich. Lange Erklärungen lassen die Spannung schnell absinken. Wichtig ist, dass sich ohne größere Anstrengung im Inhalt der Geschichte Gegenstände, Figuren, Personen und Tiere finden lassen, die man mit Bewegung darstellen kann. Schwieriger ist es immer, wenn der Inhalt der Geschichte nicht „gegenständlich" greifbar ist. Begriffe wie Sonne, Licht, Nacht, Morgen, Abend usw. lassen sich zwar auch darstellen, setzen aber mehr Fantasie voraus. Einfacher zu interpretieren sind Tiere oder Dinge wie Baum, großes Haus, Schneemann, Schneeflocke, Auto, Flugzeug u. Ä.

Beispiele:

▷ Konkrete Begriffe:
 Maschine, Auto, Eisenbahn, Lokomotive, Flugzeug, Kirchenglocken, Hagel, Regen, Donner, Wind, Pferdegetrappel, Luftballon, Schnee, Sternschnuppe, Frosch, Schlange, Bär …

▷ Personen und Figuren, die je nach Alter, Größe, Temperament verschiedene Darstellungen ermöglichen:
 Kind: schnell, quirlig – Opa: langsam, mühsam – Kasperle: fröhlich, lustig – Schneemann: groß, schwer, langsam – Kobold: schnell, sprunghaft – Zauberer: geheimnisvoll, drohend …

▷ Abstrakte Begriffe, die Erlebnisse, Stimmungen, Vorstellungen, Atmosphäre ausdrücken:
 Es ist warm oder kalt – die Sonne geht auf – es ist Nacht – große und kleine Blumen, z. B. Sonnenblume und Gänseblümchen – Sterne und Mond am Himmel … Dabei ist zu beachten, dass die Bewegungen dieser Kategorie über längere Zeit zu hören sein sollten, da der Inhalt bzw. die Stimmung nicht nur punktuell eine Rolle spielt, sondern während der gesamten Geschichte gegenwärtig ist.

Vorgehen:

▷ Erzählen Sie die Geschichte. Die Kinder schließen die Augen und lassen das Gehörte in ihrer Fantasie ablaufen.
▷ Sprechen Sie über den Inhalt oder lassen Sie die Kinder den Inhalt nacherzählen.
▷ Gemeinsam werden die wichtigen Teile angesprochen: Wie sind die Figuren, Gegenstände, Tiere? Sind sie groß – klein – schnell – langsam – hell – dunkel – leise – laut …?
▷ Die Kinder suchen für die einzelnen Inhalte der Geschichte passende Bewegungen und erproben sie. Austausch oder Wechsel sollen jederzeit möglich sein.

Möglichkeiten zum Realisieren von Bewegungsgeschichten:

▷ Erzählen Sie die Geschichte durchgehend, ohne Pause. Die Kinder bewegen sich parallel zur Erzählung.
 Vorteile: Die Kinder müssen schnell reagieren, weil die Geschichte ständig vorangeht, sonst verspätet sich die Bewegung. Sie müssen darauf achten, ihre Bewegungen so einzuteilen, dass der Weitergang der Geschichte nicht untergeht. Konzentration, Reaktion und Spontaneität werden stark gefördert.

Nachteile: Langsamere Kinder und Kinder mit eingeschränkter Assoziationsfähigkeit sind rasch überfordert. Die Bewegung des einzelnen Kindes hat weniger Gewicht, da sie einfach neben der Geschichte herläuft.

▷ Erzählen Sie die Geschichte und unterbrechen Sie an den Stellen, wo das Umsetzen in Bewegung möglich ist. Die Kinder setzen um, was sie gehört haben.
Vorteile: Das einzelne Kind tritt mehr in den Vordergrund, alle Kinder können der Bewegung ungestört folgen und sie dem Inhalt zuordnen. Die Kinder werden sich dadurch mehr anstrengen und konzentrierter sein.

Nachteil: Die Geschichte dauert länger und könnte je nach Inhalt etwas „zerhackt" wirken.

▷ Die Kinder merken sich die Geschichte nach einmaligem oder mehrmaligem Erzählen bzw. Vorlesen und spielen aus dem Gedächtnis Figuren oder Inhalte. Die Lehrkraft spricht nicht dazu.
Vorteil: Fantasie und Konzentration werden stark angeregt.
Nachteil: Diese Vorgehensweise ist nicht für jede Geschichte geeignet. Sie passt besonders für kurze und einfache Geschichten.

54–56
51–52

Lieder im Rahmen der Rhythmik erarbeiten

Ziele und Lerninhalte dieser Einheit

▷ Umsetzen von Liedinhalten in Bewegung
▷ Sich bewegen nach dem Liedrhythmus
▷ Spielerisches Erarbeiten von Melodien und Texten über die Bewegung

Das Erarbeiten von Liedern ist ein wichtiger Bestandteil der musikalisch-rhythmischen Arbeit. Um die Kinder entsprechend zu motivieren, ist auf die Liedauswahl ein spezielles Augenmerk zu richten. Da alle Kinder gerne spielend lernen, sollte auch das Erarbeiten von Liedern spielerische Elemente enthalten. Wenn Sie im Frontalunterricht der Gruppe das Lied durch Vorsagen des Textes und Vorsingen des kompletten Liedes zu vermitteln versuchen, fehlt die Freude am Lernen. Sicher werden die Kinder nach einer gewissen Zeit und nach genügend – möglicherweise langweiligen – Wiederholungen das Lied beherrschen. Was Kinder aber selbst erarbeitet haben, hat mehr Gewicht und wird auch besser behalten. Beim spielerischen Erarbeiten werden Fähigkeiten angeregt, die auch für andere Bereiche von großer Bedeutung sind: Kreativität, Selbstvertrauen, Fantasie, Assoziationsfähigkeit und Denkvermögen.

Dazu sind Lieder mit folgenden Komponenten ideal:
– Einfacher Text, der keine langen Erklärungen benötigt
– Text, der aus dem Erlebnisbereich der Kinder stammt
– Text, in dem es Wiederholungen (Refrain) gibt, die immer mit den gleichen Bewegungen begleitet werden können.
– Inhalt, bei dem die Kinder leicht neue Strophen erfinden können
– Text oder Inhalt, der sich leicht in Bewegung umsetzen lässt
– Melodieführung, die weder für Sie noch für die Kinder nennenswerte Schwierigkeiten bietet und schnell umgesetzt werden kann

Zur ergänzenden Begleitung eines Liedes eignet sich jede Art von Klangerzeuger. Um die rhythmische Bewegung zu unterstreichen, lassen sich Körperinstrumente oder auch Instrumente aus dem kleinen Schlagwerk des Orff-Instrumentariums mit einsetzen. Als Impuls können Signalwörter aus dem Liedtext dienen.

BEISPIEL: ERARBEITEN DES LIEDES „WAS ICH MACHEN KANN"

Das nachfolgende Lied kann auf verschiedene Arten eingeführt werden:

1. Die Kinder stehen verteilt im Raum. Sprechen Sie den Text im Liedrhythmus oder machen Sie passende Bewegungen vor, die die Kinder nachmachen. Wenn die Kinder eigene Bewegungsformen vorschlagen, greifen Sie diese auf und wiederholen Sie sie zusammen mit allen Kindern. Nach diesen Bewegungsspielen können Sie das Lied einführen, indem Sie die Melodie auf einem Instrument spielen oder die erste Strophe singen. Die Kinder bewegen sich entsprechend und versuchen mitzusingen. Wenn es schwierig ist für die Kinder, beide Dinge gleichzeitig zu tun, lassen Sie eine Gruppe die Bewegungen ausführen, während die andere die Strophen singt – danach wird getauscht.

2. Das Lied kann im Stuhlkreis mit Körperinstrumenten eingeführt werden. Dann sollten sich die Strophen auf Bewegungen konzentrieren, die im Stuhlkreis, also sitzend, realisiert werden können.
   – Ich kann jetzt klatschen auf der Stell.
   – Ich kann jetzt patschen auf der Stell.
   – Ich kann jetzt stampfen auf der Stell.
   – Ich kann jetzt schnalzen auf der Stell.

3. Das Lied kann im Kreis (sitzend oder stehend) eingeführt werden, wobei sich die Strophen auf verschiedene Bewegungen mit demselben Material beziehen.

Z. B. mit dem Luftballon (jedes Kind sollte einen aufgeblasenen Luftballon in den Händen halten):
– Ich kann jetzt tippen auf der Stell.
  (den Luftballon mit den Fingern antippen)
– Ich kann jetzt klopfen auf der Stell.
  (mit einer Hand auf den Luftballon klopfen)
– Ich kann jetzt zippen auf der Stell.
  (den Luftballon am Aufblasansatz schnalzen lassen)

Z. B. mit dem Gummiball (jedes Kind hält einen Gummiball in den Händen):
– Ich kann jetzt prellen auf der Stell.
  (prellen)
– Ich kann jetzt fangen auf der Stell.
  (kurz hochwerfen und auffangen)
– Ich kann jetzt rollen auf der Stell.
  (Ball um sich herumrollen lassen)

Varianten zur Durchführung:
– Mit Playback: Die CD spielt die Melodie zweimal, einmal zum Mitsingen, einmal zum Bewegen. Das Playback muss für jede Strophe erneut angeklickt werden.
– Ohne Playback: Nach jeder Strophe führen die Kinder die passende Bewegung aus, während Sie mit der Handtrommel o. Ä. den Rhythmus spielen.

> **Aufgabe für die Lehrkraft**
>
> ▷ Suchen Sie sich vier ganz unterschiedliche Lieder und machen Sie sich Gedanken über die Gestaltung. Wie ist die Stimmung in den verschiedenen Liedern? Was sagt der Text? Lässt er sich mit Bewegung ausdrücken? Kommen Signalwörter vor, die leicht in Bewegung umgesetzt werden können? Lassen sich Körperinstrumente oder einfache Orff-Instrumente begleitend einsetzen?

KOMMUNIKATION

Jeden Tag kommuniziert jeder Mensch mit Personen in seiner Ungebung – im Kindergarten, in der Klasse, in der Firma, beim Einkaufen, auf dem Sportplatz ... Von der Qualität der Kommunikation hängt gerade im pädagogischen Bereich sehr viel ab. Wenn eine Erzieherin oder ein Lehrer in der Lage ist, der Gruppe oder Klasse Lerninhalte leicht verständlich zu vermitteln, werden die Kinder schnell begreifen und entsprechend positiv reagieren. Machen Sie sich Gedanken, welche Möglichkeiten der Kommunikation Ihnen zur Verfügung stehen und versuchen Sie diese laufend zu optimieren.

Als Kommunikationsmittel dienen:

– Worte und Sprache
– Gesten
– Zeichen
– Mimik
– Körperlicher Kontakt
– Akustische Signale
– Bilder

Um die genannten Kommunikationsmittel richtig einsetzen zu können, müssen beide Seiten gewisse Voraussetzungen erfüllen. Wer mit anderen kommunizieren möchte, sollte die Kommunikationsmittel möglichst gut beherrschen, damit sein Gegenüber diese Zeichen auch richtig deuten kann. Dies setzt voraus, dass Worte, Gesten, Zeichen eindeutig und unmissverständlich eingesetzt werden. Überprüfen Sie sich immer wieder selbst, ob Sie für das, was sie mitteilen möchten, passende und klar verständliche Worten oder Gesten verwenden.

Wer verstehen soll, muss die Fähigkeit besitzen, genau zu beobachten, genau hinzuhören und genau zu spüren, was für ihn in der momentanen Situation von Bedeutung ist.

> **Ziele und Lerninhalte dieser Einheit**
>
> ▷ Vermitteln von verbaler Sicherheit
> ▷ Wendigkeit in der Auswahl der passenden Worte
> ▷ Steuerung und gezielter Einsatz der eigenen Stimme
> ▷ Verstehen und Umsetzen des gehörten Wortes
> ▷ Spontane Reaktion, Konzentration, genaues Hinhören
> ▷ Selbstsicherheit und Selbstvertrauen in die eigene Arbeit
>
> Für die Lehrkraft sind verbale Kommunikationsübungen ein umfassendes Diagnosemittel, um Hörprobleme, Rezeptionsprobleme, Unsicherheit u. Ä. zu erkennen.

Übungen mit der Stimme

▷ Die Kinder bewegen sich leise im Raum. Geben Sie mit der Stimme Anweisungen, was die Kinder zu tun haben, z. B. vorwärtsgehen und mit niemandem zusammen stoßen / rückwärtsgehen / sich auf der Stelle drehen / in die Hocke gehen / sich strecken / die rechte Hand hochhalten / die linke Hand hochhalten / sich auf die Zehenspitzen stellen / auf der Ferse balancieren ... Alle diese Anweisungen werden abwechselnd leise / laut / schnell / langsam gesprochen.

Schon hier können Sie leicht erkennen, wie die einzelnen Kinder auf die verbalen Signale reagieren. Reagieren sie spontan / erst nach einiger Zeit / erst, nachdem sie andere Kinder beobachtet haben? Setzen sie die Signale richtig um?
(Können Kinder nicht gezielt auf Ihre Stimme hören, liegt eventuell ein Hörproblem vor.)

▷ Partnerübungen: Ein Kind gibt dem anderen mit geeigneten Worten Anweisungen, was es zu tun hat: vorwärtsgehen / rückwärtsgehen / stehen bleiben / sich auf der Stelle drehen / in die Hocke gehen / sich strecken ... Auch die Kinder sollen ihre Anweisungen leise / laut / langsam / schnell geben.
(Nehmen Sie aktiv an der Übung teil, wenn die Gruppe eine ungerade Anzahl Kinder hat.)

Die Kinder müssen sich sehr konzentrieren, um im allgemeinen Lärmpegel, der während der Übung entsteht, die Stimme des Partners zu erkennen. Nutzen Sie die Möglichkeit, einzelne Kinder genauer zu beobachten. Wie drückt sich ein Kind aus? Findet es die richtigen Worte? Tut es sich dabei grundsätzlich schwer? Wie reagiert der Partner? Warum?

Aufgaben für die Lehrkraft

▷ Versuchen Sie, bewusst wahrzunehmen, wie die Kindern auf Ihre Stimme reagieren. Wie setzen Sie Ihre Stimme ein? Sind Ihre Anweisungen kurz / präzise / eindeutig? Klingt Ihre Stimme auffordernd / motivierend / langweilig / dynamisch / kräftig / schwach?

Beachten Sie, dass es gewöhnungsbedürftig ist, die eigene Stimme ab Tonband zu hören und zu beurteilen. Wenn Sie aber nachhaltig Mühe mit Ihrer Stimme haben, denken sie über Verbesserungen nach. Stimmbildung und Sprechübungen „im stillen Kämmerlein" und Übungen mit anderen Personen sind gute Mittel, um die eigene Stimme zu trainieren.

Übungen zur nonverbalen Kommunikation

Gestik

43–48

Ziele und Lerninhalte dieser Einheit

▷ Genaues Beobachten
▷ Erkennen von Bewegungen und Umsetzen des Gesehenen
▷ Aufbauen von Stille und Aufmerksamkeit
▷ Fördern von Fantasie und Vorstellungskraft
▷ Soziales Arbeiten

- Die Kinder sitzen verteilt im Raum. Stellen Sie sich an einen Platz, an dem alle Kinder Sie gut sehen können. Zeigen Sie vor, was die Kinder nachmachen sollen. Da die Kinder sitzen, sollten sich diese Zeichen auch nur auf Bewegungen beziehen, die im Sitzen ausgeführt werden können, z. B. mit dem Oberkörper hin- und herschwingen / mit dem Kopf nicken / den Kopf rechts und links zur Seite schwingen / Schultern heben und senken / Arme heben und senken / Hände bewegen / Finger bewegen.

- Die Kinder sitzen im Kreis. Ein Kind darf Bewegungen vormachen, die andern machen sie nach. Nach einiger Zeit werden die Rollen getauscht, damit jedes Kind vormachen und nachmachen kann. Weisen Sie immer wieder darauf hin, dass es sich um einfache und deshalb leicht nachvollziehbare Vorgaben handeln soll, sodass alle Kinder zu einem guten Ergebnis kommen können.

- Die Kinder stehen so im Raum verteilt, dass für alle genügend Platz vorhanden ist (jedes Kind soll bei ausgebreiteten Armen kein anderes Kind berühren). Stellen Sie sich auf einen Stuhl, eine Bank, eine Kiste an einem Platz im Raum, wo Sie von jedem Kind gut gesehen werden. Mit Gesten (mit den Händen, den Armen, dem Kopf) geben Sie Anweisungen für Bewegungen, welche die Kinder im Raum ausführen sollen: vorwärtsgehen / stehen bleiben / rückwärtsgehen / sich auf der Stelle drehen usw. Erklären Sie die Gesten zunächst nicht, damit die Kinder sie selbst deuten können. Sollte diese Zuordnung zu schwierig sein, können Sie im Vorfeld die Gesten kurz erklären.

Vormachen – nachmachen

Variante: Die Kinder stehen sich paarweise gegenüber. Eines weist mit Gesten an, das andere setzt die Gesten in Bewegung im Raum um. Nach einiger Zeit werden die Rollen getauscht.

- Die Kinder hören Musik und versuchen, diese mit Gesten nachzuempfinden. Wie kann laute Musik / leise Musik mit den Händen angezeigt werden?

- Ein Kind „erzählt" mit Händen und Armen eine kleine Geschichte, die andern sollen versuchen, die Handlung zu erkennen und mit Worten zu erzählen. Diese Übung kann auch paarweise durchgeführt werden.

Aufgaben für die Lehrkraft

- Beobachten Sie Ihre Gesten und Zeichen. Wie wirken sie? Sind sie eindeutig und für Kinder leicht zu entschlüsseln? Benutzen Sie Ihre Hände, um der Sprache Nachdruck zu geben? Sind Ihre motorischen Aktivitäten geschickt oder unsicher?
- Fördern Sie Ihre Motorik durch Übungen mit Dirigierzeichen. Dirigieren Sie zu einer passenden Musik (siehe auch „Praxisbuch Musikalische Früherziehung").
- Stellen Sie eine Handlung oder eine Geschichte mit Handgesten und Zeichen dar und beobachten Sie sich dabei im Spiegel. Lassen sich Ihre Gesten deuten? Sind sie genau oder ungenau, eindeutig oder nicht erkennbar?

Mimik

> **Ziele und Lerninhalte dieser Einheit**
>
> ▷ Erkennen und Interpretieren von Ausdruck und Mimik
> ▷ Deuten von Bewegungen
> ▷ Fördern der Fantasie

▷ Die Kinder versuchen, sich die einzelnen Bereiche des Gesichts bewusst zu machen. Was kann ich im Gesicht bewegen? (Augen, Mund, Lippen, Zunge, Backen, Unterkiefer, Nase, Ohren, Kinn ...?

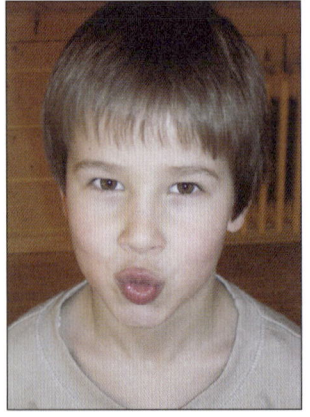 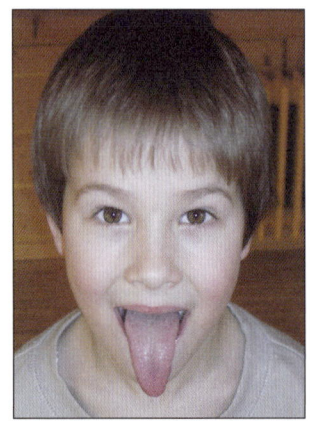 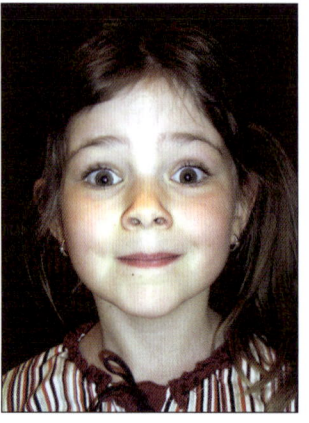 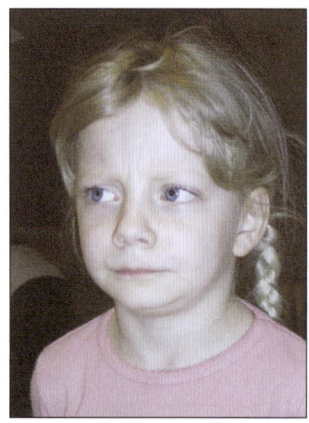

Lippen spitzen   *Zunge herausstrecken*   *Augen aufreißen*   *Stirn runzeln*

▷ Wie lassen sich Freude, Müdigkeit, Heiterkeit, Erschrecken, Überraschung ... nur durch Mimik ausdrücken? Die Kinder versuchen, mit Bewegungen des Gesichtes und mit Kopfbewegungen verschiedene Gefühle zu zeigen.

▷ Die Kinder stehen vor einem Spiegel und beobachten sich selbst, sie beobachten sich auch gegenseitig.

▷ Geben Sie der Gruppe Anweisungen: „Schaut mal lustig / traurig / munter / müde / langweilig / gespannt ..."

▷ Partnerübung: Abwechselnd mimt ein Kind ein Gefühl, das andere Kind soll erkennen und benennen, was gemeint ist.

▷ Partnerübung: Ein Kind lässt seine Mimik spielen, das andere imitiert, was es beobachtet.

▷ Partnerübung: Ein Kind steuert seinen Partner nur mit seiner Mimik durch den Raum.
Gemeinsam werden Regeln vereinbart: Augen weit geöffnet = vorwärtsgehen; Augen zugekniffen = rückwärtsgehen; einmal blinzeln = stehen bleiben; Augen nach links / nach rechts drehen = in die gezeigte Richtung gehen; nach unten schauen = niederknien; nach oben schauen = Arme in die Luft strecken ...

Lassen Sie die Kinder auch eigene Ideen entwickeln, ohne korrigierend einzugreifen. Besonders originelle Aufgaben können von der Gruppe übernommen werden.

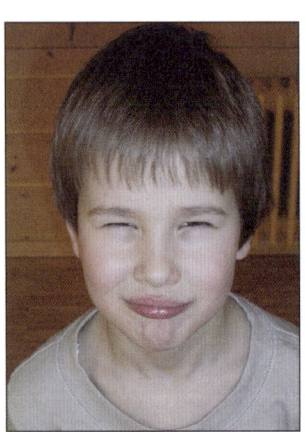 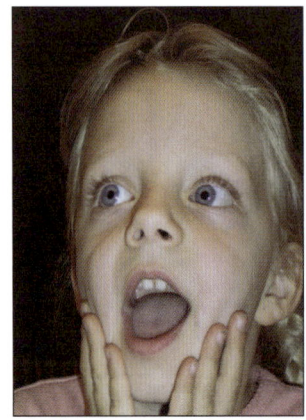

Enttäuschung   *Überraschung*

> **Aufgaben für die Lehrkraft**
>
> ▷ Bewegen Sie gezielt die einzelnen Gesichtsteile.
> ▷ Beobachten Sie sich im Spiegel. Können Sie Ihre Mimik zielgerichtet einsetzen? Entspricht sie dem, was Sie sagen? Ist Ihre Mimik nichtssagend oder aussagekräftig?

FÜHREN MIT KÖRPERKONTAKT

> **Ziele und Lerninhalte dieser Einheit**
>
> ▷ Körperkontakt aufbauen
> ▷ Stärken des Verantwortungsbewusstseins
>
> Die Kinder sollen sich auf den Partner einlassen und gegenseitiges Vertrauen, Sicherheit und Selbstvertrauen gewinnen.

▷ Die Kinder fassen sich an den Händen und bilden eine Kette. Nehmen Sie das erste Kind bei der Hand und führen Sie die „Schlange" ohne verbale Anweisungen durch den Raum. Diese Übung kann auch mit geschlossenen Augen durchgeführt werden, wenn sehr langsam und vorsichtig vorgegangen wird.

▷ Partnerübung: Ein Kind nimmt das andere bei der Hand und führt es – langsam und behutsam – durch den Raum, dabei kann das geführte Kind die Augen offen oder geschlossen halten. Es ist wichtig, dass diese Arbeit sehr ruhig, aufmerksam und konzentriert durchgeführt wird, damit sich alle Beteiligten sicher und wohl fühlen können.

▷ Partnerübung: Ein Kind fasst das andere von vorn kräftig an den Händen und führt es so durch den Raum. Das geführte Kind kann dabei die Augen offen oder geschlossen halten. Die Übung mit geschlossenen Augen ist erst dann sinnvoll, wenn beide Selbstsicherheit und Vertrauen in den Partner aufgebaut haben. Weisen Sie immer wieder auf langsames und vorsichtiges Vorgehen hin.
Varianten: Die Hände berühren sich nur an den Innenflächen / nur mit den Zeigefingern / nur mit den Daumen / nur mit zwei Fingern ...

▷ Ein Kind führt das andere durch den Raum, indem es seine Hände von hinten kräftig auf die Schultern des Partners legt und ihn so – ohne zu sprechen – durch den Raum steuert. Das geführte Kind kann dabei die Augen offen oder geschlossen halten. Die Steuerung findet ausschließlich über den Handkontakt statt.
Varianten: Auf der Schulter des vorderen Kindes liegt nur ein Finger / nur drei Finger ... Auf diese Weise werden auch Feinmotorik und Sensibilität geschult.

> **Aufgaben für die Lehrkraft**
>
> ▷ Nehmen Sie aktiv an diesen Übungen teil, damit Sie Ihre Wirkung selbst erfahren können. Bei ungerader Anzahl der Kinder sollten Sie ohnehin mitmachen, damit jedes Kind beschäftigt ist. Führen Sie die Übungen mit verschiedenen Kindern durch und beobachten Sie das unterschiedliche Verhalten.

Führen mit akustischen Signalen

Ziele und Lerninhalte dieser Einheit

▷ Genaues Hinhören
▷ Fördern der Fantasie
▷ Umsetzen eigener Vorstellung
▷ Spielerischer Einsatz von Körperinstrumenten oder Rhythmus- und Effektinstrumenten

▷ Die Kinder gehen leise durch den Raum. Steuern Sie die Gruppe mit Körperinstrumenten (klatschen, patschen, stampfen, schnalzen). Jedes Körperinstrument gibt einen bestimmten Impuls: klatschen = stehen bleiben; stampfen = weitergehen; schnalzen = auf den Zehenspitzen gehen ...
Variante: Ein Kind übernimmt die Steuerung – mehrere Kinder übernehmen gemeinsam die Steuerung (ein Kind klatscht = stehen bleiben; ein zweites Kind schnalzt = Arme hochhalten ...)

▷ Steuern Sie die Gruppe mit Hilfe eines Rhythmus- oder Effektinstrumentes (Orff-Instrument): schnell spielen = schnell gehen; langsam spielen = langsam gehen; im Takt des Instrumentes hüpfen ...
Varianten: Ein Kind übernimmt die Steuerung – mehrere Kinder teilen sich die Aufgabe (siehe vorhergehende Übung).

▷ ⊙ Spielen Sie Klänge oder Musik von der CD, 27–31 zu der sich die Kinder nach vereinbarten Regeln bewegen: langsame Musik = langsam gehen; Pause = stehen bleiben; laute Musik = stampfen ...

▷ Wir hören gemeinsam Musik und überlegen uns, wie man sich dazu bewegen könnte.

Aufgabe für die Lehrkraft

▷ Üben Sie die Bewegungsbegleitung „im stillen Kämmerlein". Beachten Sie, dass die Arbeit mit Körperinstrumenten oder Orff-Instrumenten sensibel und überlegt gestaltet werden muss. Zu hektisches Vorgeben von Signalen bewirkt hektisches und unkonzentriertes Arbeiten in der Gruppe. Signalisieren Sie deutlich, z. B. mit Pausen oder Verlangsamen, wenn die Kinder von einer Bewegungsform in eine andere wechseln sollen.

Bilder

Ziele und Lerninhalte dieser Einheit

▷ Genaues Beobachten
▷ Reagieren auf optische Eindrücke
▷ Umsetzen von Bildern in Bewegung (sehen – erkennen – tun)
▷ Fördern von Fantasie und Kreativität

▷ Den Hauptfarben Rot, Grün, Gelb und Blau werden bestimmte Bewegungen zugeordnet. Steuern Sie die Gruppe mit farbigen Rhythmiktüchern, Bällen, Stäben.

▷ Zeigen Sie einfache Grafiken, die bestimmte Bewegungsabläufe versinnbildlichen: stehen / sitzen / gehen / sich drehen / hüpfen ... Die Kinder imitieren die gezeigte Bewegung. Es lassen sich auch Abfolgen mit mehreren Bewegungsformen gestalten.
Variante: Ein Kind übernimmt die Steuerung – mehrere Kinder übernehmen gemeinsam die Steuerung (ein Kind zeigt „Stehen", ein zweites Kind „Gehen" ...)

▷ Partnerarbeit: Die Kinder steuern einander abwechselnd mit Hilfe von Grafiken.

- ▷ Zeigen Sie ein Bild, das eine einfache Handlung oder eine einfache Thematik zeigt. Die Kinder sollen die Handlung bzw. die Thematik erkennen und versuchen, sie in Bewegung umzusetzen.

- ▷ Zeigen Sie Bilder eines Bilderbuches, die leicht nachempfunden werden können, z. B. Frau Holle schüttelt die Kissen, Rumpelstilzchen spinnt Stroh zu Gold oder Hänsel schleicht sich aus dem Haus, um weiße Kieselsteine zu sammeln. Die Kinder setzen die Bilder in Bewegungen um.

- ▷ [A5] Zeichnen Sie an der Wandtafel oder auf einem großem Blatt an der Wand stilisierte Bewegungen, oder benutzen Sie die Zeigekarten auf dem Arbeitsblatt A5. Die Kinder versuchen, sie zu erkennen und umzusetzen.

- ▷ Partnerarbeit: Die Kinder arbeiten mit Papier und Stiften. Ein Kind versucht, mit Hilfe einer Zeichnung dem anderen mitzuteilen, was es tun soll.

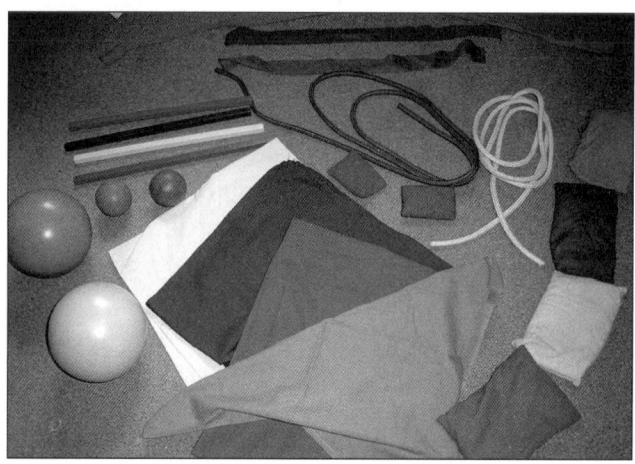

Rhythmikmaterial in Rot, Grün, Gelb und Blau

Diese Aufgabe fördert Kreativität und Fantasie *beider* Partner.

- ▷ Filme oder Videos, die ohne Ton vorgespielt werden und an bestimmten Stellen gestoppt werden, können in besonderen Fällen einen Anreiz für Bewegungen bieten.

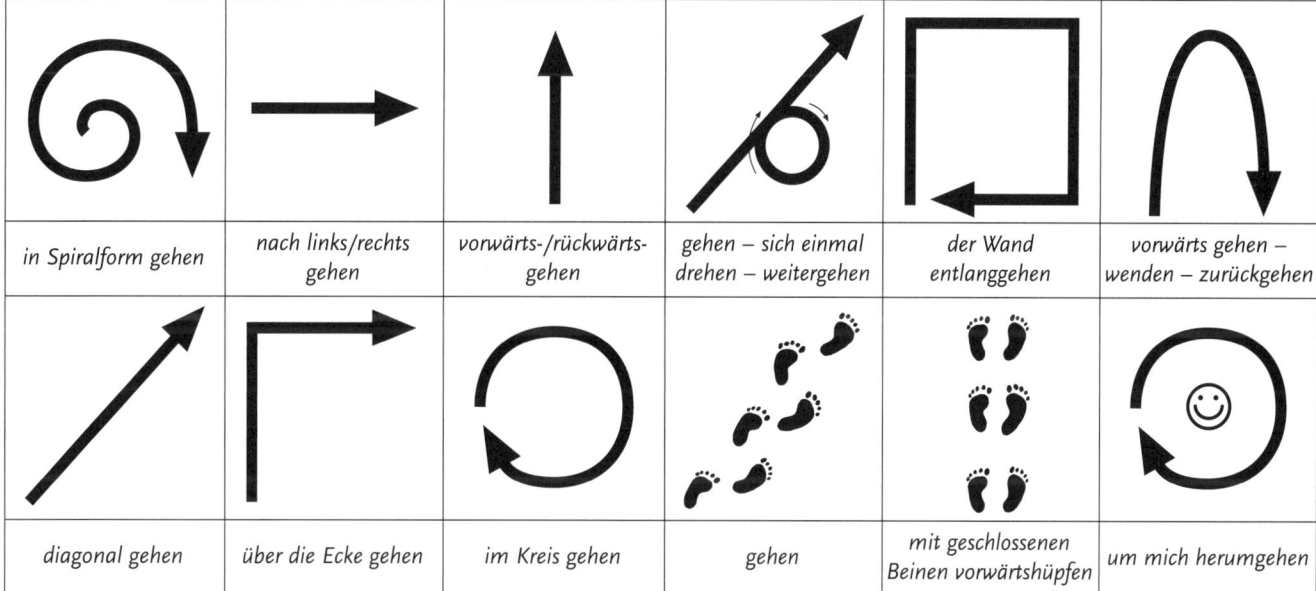

Grafische Zeichen für Bewegungen im Raum

Aufgaben für die Lehrkraft

- ▷ Überlegen Sie sich Möglichkeiten, diverse Bewegungsformen grafisch darzustellen, z. B. mit stilisierten Bewegungsmustern oder einfachen Zeichen.
- ▷ Suchen Sie aus Ihrem Bilderrepertoire passende Bilder aus. Betrachten Sie die Bilder und notieren Sie, was Sie erkennen können. Wie lässt sich der Bildinhalt in Bewegung umsetzen?

Spiel mit Bildern oder Fotos

▷ Legen Sie Bilder oder größere Fotos mit Personen, die etwas tun, mit der Bildseite nach unten auf dem Boden aus. Die Kinder gehen durch den Raum. Auf ein akustisches Signal hin bleibt jedes Kind vor einem Bild bzw. Foto stehen und deckt es auf.

▷ Jedes Kind betrachtet sein Bild und versucht zu erkennen, was die Person bzw. die Personen auf dem Bild tun: gehen / tanzen / essen / dirigieren / schreiben / laufen / langsam gehen / hüpfen / springen ... Jedes Kind beschreibt, was es sieht. Auf den Bildern sollten wenn möglich keine Gegenstände zu erkennen sein, damit die Kinder sich auf die eigentliche Körperbewegung konzentrieren können.
Auf ein akustisches Signal hin gehen die Kinder weiter und bleiben bei einem anderen Bild stehen. Auch hier erzählen Sie wieder, was sie sehen. Die Aktion wird mehrmals wiederholt, sodass die Kinder möglichst viele verschiedene Bilder aufdecken können.

▷ Die Kinder gehen weiter und stoppen wieder bei einem Bild. Sie sprechen nicht mehr, sondern versuchen, die gezeigte Bewegung nachzumachen. Dann gehen die Kinder weiter und imitieren die Bewegung eines anderen aufgedeckten Bildes usw.

▷ Die Kinder stehen im Kreis um die verdeckten Bilder. Decken Sie ein Bild auf, ohne dass die Kinder sehen können, was darauf abgebildet ist, und machen Sie die gezeigte Bewegung nach. Die Kinder sollen erkennen, um welche Tätigkeit es sich handelt, und diese möglichst genau nachmachen.
Variante: Ein Kind darf ein Bild aufdecken und die gezeigte Tätigkeit nachahmen, die anderen Kinder imitieren die Handlung.

▷ Die Kinder gruppieren sich paarweise und suchen sich einen freien Platz im Raum. Gehen Sie zu jedem Paar und zeigen sie einem der beiden Kinder ein Bild. Dieses Kind imitiert die dargestellte Bewegung, das andere soll sie erkennen und nachmachen. Die Übung wird mehrmals wiederholt, damit jedes Kind mehrmals vormachen und nachmachen kann.

▷ Die Kinder stehen sich paarweise gegenüber. Ein Kind denkt sich eine Bewegung oder eine Folge mehrerer Bewegungen aus – auch solche, die nicht auf den Bildern vorgekommen sind. Das andere Kind versucht, die Tätigkeit zu erkennen und ahmt sie nach. Die Rollen werden mehrmals getauscht.

▷ Hausaufgabe: Die Kinder suchen in Zeitungen, Illustrierten u. Ä. Bilder, die Bewegungen darstellen. Damit lassen sich auch die Eltern gut in die Arbeit einbeziehen.

Aufgaben für die Lehrkraft

▷ Beobachten Sie Menschen, die sich bewegen. Was ist typisch? Welche Muskeln werden dabei benutzt? Ist die Bewegung natürlich oder unnatürlich, gespannt oder locker?
▷ Betrachten Sie Bilder, auf denen sich Personen bewegen und analysieren Sie die Darstellungen.

Ordnungsübungen – sich einordnen und anpassen

> **Ziele und Lerninhalte dieser Einheit**
>
> ▷ Einhalten von Regeln
> ▷ Rücksicht nehmen auf die Fähigkeiten des Partners, die Gegebenheiten der Gruppe und die Situation
> ▷ Zurücknehmen des eigenen Bewegungsdranges
> ▷ Erkennen, dass gemeinsam etwas nur gelingen kann, wenn alle sich an die Regeln halten

Übungen ohne Material

▷ Die Kinder gehen durch den Raum. Geben Sie Anweisungen: schnell gehen / langsam gehen / rückwärtsgehen / auf bestimmte Signale hin stehen bleiben / weitergehen ...

▷ Die Kinder suchen sich eigene Wege, gehen rechtzeitig entgegenkommenden Kindern aus dem Weg, orientieren sich an der gesamten Gruppe. Es darf zu keinem Zusammenstoß kommen und jedes achtet darauf, dass der gesamte Raum ausgenützt wird und nirgends größere freie Flächen entstehen.

▷ Die Kinder gehen so leise wie möglich durch den Raum, niemand stampft oder tritt laut auf den Boden.

▷ Die Kinder verteilen sich im Raum. *Ohne Signal* beginnt sich die Gruppe langsam zu bewegen. Ohne Signal kommt die Gruppe langsam wieder zum Stillstand. Diese Übung erfordert die ganze Aufmerksamkeit der Kinder. In der Regel sind mehrere Versuche notwendig, bis die Übung harmonisch abläuft.

▷ Die Kinder bewegen sich im Zeitlupentempo durch den Raum und kommen auf ein Zeichen hin ganz langsam zum Stillstand. Achten Sie auf „echte" Zeitlupe – der gesamte Bewegungsablauf soll verlangsamt werden.

▷ Bei einem ersten akustischen Signal bleiben alle Kinder stehen, auf ein zweites Zeichen gehen sie rückwärts. Dabei ist große Aufmerksamkeit gefordert, damit es beim Rückwärtsgehen nicht zur Kollision mit einem anderen Kind kommt.

Übungen mit Reifen

▷ „Auto fahren": Jedes Kind erhält einen Reifen und trägt ihn vorsichtig vor sich her durch den Raum, ohne ein anderes Kind zu berühren.

▷ Die Kinder wählen eigene Wege durch den Raum und verändern ihre Geschwindigkeit. Dabei kommt es darauf an, dass das Tempo laufend den Gegebenheiten angepasst wird – jedes Kind achtet auf die anderen, damit es rechtzeitig ausweichen oder stoppen kann.

▷ Die Kinder halten die Reifen möglichst waagrecht (wie ein mit Wasser gefülltes Becken, das nicht kippen darf) und gehen vorwärts / rückwärts / seitwärts.

▷ Immer zwei Kinder tragen gemeinsam einen Reifen. Sie suchen sich einen Weg durch den Raum und achten gemeinsam auf die anderen Kinder.

▷ Die Kinder führen die oben beschriebenen Übungen aus, indem sie sich gegenüberstehen und ihre beiden Reifen senkrecht gegeneinander halten.

▷ Jedes Kind sucht sich einen freien Platz im Raum und legt seinen Reifen so auf den Boden, dass es darum herum gehen kann, ohne ein anderes Kind zu stören.

▷ Auf ein Signal hin (z. B. mit der Handtrommel) gehen alle Kinder durch den Raum, um die am Boden liegenden Reifen herum und – auf ein weiteres Signal hin – zurück zu ihrem eigenen Reifen, langsam und ohne ein anderes Kind zu stören.

▷ Auf ein Signal hin legen die Kinder nacheinander ihre Reifen an einem vorbestimmten Platz genau

Partnerübung mit Reifen

Um die Reifen herum frei durch den Raum gehen

aufeinander, sodass ein Reifenturm oder ein „Reifenbrunnen" entsteht.

ÜBUNGEN MIT GYMNASTIKSÄCKCHEN

▷ Die Kinder stehen gut verteilt im Raum. Sie werfen die Säckchen in gleichmäßigem Rhythmus leicht in die Höhe und fangen sie wieder auf.
Variante: Nur die roten / grünen / gelben / blauen Säckchen werden hochgeworfen.

▷ Die Säckchen werden im Takt in die Höhe geworfen und wieder aufgefangen – so, dass alle Auffanggeräusche gleichzeitig zu hören sind.

▷ Die Säckchen werden im gleichen Takt von einer Hand in die andere Hand geworfen. Auch hier sollen die Auffanggeräusche gleichzeitig zu hören sein.
Variante: Der Takt wird durch ein gemeinsam gesungenes Lied bestimmt.

▷ Die Kinder stehen im Kreis und geben ein Säckchen im Uhrzeiger- oder im Gegenuhrzeigersinn gleichmäßig weiter. Ein passendes Lied oder ein passender Vers kann das Tempo und den Ablauf steuern:

*Säckchen, Säckchen, du musst wandern
von dem einen zu dem andern,
Das ist herrlich,
Das ist schön,
Säckchen soll nun rechts (links) rum gehn.*

Variante: Mit zwei oder mehr Säckchen erfordert die Aufgabe mehr Konzentration und Reaktionsvermögen.

▷ Die Kinder stehen im Kreis und lassen die Säckchen gleichzeitig fallen – so, dass alle Aufprallgeräusche gleichzeitig zu hören sind. Mit einem begleitenden Lied oder einem Vers kann die Übung rhythmisch gestaltet werden.

▷ Partnerübung: Die Kinder werfen einander ein Säckchen so zu, dass der Partner es fangen kann. Jedes Kind muss sich auf die Geschicklichkeit des Partners einstellen.
Varianten: Die Kinder werfen mit zwei Säckchen / im Sitzen / im Kniestand.

▷ Die Kinder stehen im Kreis und suchen sich einen Partner mit einem gleichfarbigen Säckchen. Sie werfen sich gegenseitig die Säckchen zu, ohne andere Paare zu behindern.

▷ Einige Kinder legen sich in der Mitte des Kreises auf den Rücken und schauen zur Zimmerdecke. Die anderen werfen einander ganz vorsichtig die Gymnastiksäckchen über die am Boden liegenden Kinder zu. Diese beobachten die fliegenden Säckchen und sagen, was ihnen dabei in den Sinn kommt (Sternschnuppen, Feuerwerk ...)
Diese Übung sollten Sie nur durchführen, wenn Sie sicher sind, dass alle Kinder beim Säckchenwerfen vorsichtig und kontrolliert vorgehen.

ÜBUNGEN MIT LUFTBALLONEN

Kinder können Luftballone nicht selbst aufblasen und verschließen. Legen Sie deshalb die Ballone bereits aufgeblasen in die Mitte des Raumes. Überraschung und Vorfreude werden die Motivation für die kommenden Übungen erhöhen. Für den Rhythmikunterricht eignen sich runde, stabile Ballone in den vier Hauptfarben Rot, Grün, Gelb und Blau. Um die Aufmerksamkeit der Kinder nicht zu beeinträchtigen und aus Stabilitätsgründen sind Werbeballone in der Regel ungeeignet. Andere als runde Ballonformen eignen sich ebenfalls nicht für die Rhythmikarbeit.

▷ Die Kinder stehen verteilt im Raum, jedes erhält einen Ballon. Die Kinder werfen den Ballon in die Höhe und fangen ihn wieder auf, mit beiden Händen / mit einer Hand / nur mit der rechten Hand / nur mit der linken Hand / abwechselnd mit beiden Händen.

▷ Die Kinder werfen / tippen die Ballone zur gleichen Zeit in die Höhe und versuchen, sie gleichzeitig wieder aufzufangen. Sie achten auf die Geräusche, die dabei entstehen.

▷ Wer kann den Ballon auch mit geschlossenen Augen aufwerfen und wieder fangen?

▷ Auf ein Signal hin werden nur alle roten, alle grünen, alle gelben, alle blauen Ballone in die Höhe getippt und wieder aufgefangen.

▷ Die Kinder suchen eigene Spielmöglichkeiten: Ein Kind macht vor, die Gruppe macht nach.

▷ Die Kinder gehen durch den Raum und suchen sich einen Partner mit der gleichen Ballonfarbe. Sie

Ballone in die Höhe werfen und wieder auffangen

Vormachen – nachmachen

gehen gemeinsam weiter und versuchen, mit den Ballonen die gleichen Bewegungen zu machen.

▷ Während die Kinder paarweise im Raum unterwegs sind, tauschen sie auf ein Zeichen hin ihre Luftballone. Die Ballone dürfen dabei nicht auf den Boden fallen.

▷ Partnerübungen: Die Kinder suchen sich einen freien Platz im Raum. Sie werfen / rollen / tippen einander die Ballone zu. Sie werfen sie gemeinsam in die Höhe und fangen sie gleichzeitig wieder auf, mit der rechten Hand / mit der linken Hand / mit dem Handrücken / mit dem Kopf.
Variante: Alle Paare mit blauen / roten / grünen / blauen und gelben Ballonen führen die Übungen durch.

▷ Die Kinder lassen die Ballone gleichzeitig auf den Boden fallen und verfolgen ihren Weg.
Sie gehen möglichst vorsichtig (ohne dass sich die Ballone stark bewegen) durch die „Ballonwiese" zu anderen Ballonen, umkreisen den einen oder anderen und kehren vorsichtig wieder zum eigenen Ballon zurück.

> Luftballone lassen sich nur beschränkt aufbewahren. Oft ist eine Wiederverwendung nicht möglich, denn das Lösen der Knoten ist nicht einfach. Zerplatzen oder zertreten Sie die Ballone aber nie im Beisein der Kinder. Dadurch würde das während der Lektion Erarbeitete abgewertet. Während die Kinder sich mit den Ballonen beschäftigen, empfinden sie das Material als sehr wertvoll. Durch die Zerstörung wird es wertlos!

ÜBUNGEN MIT RHYTHMIKTÜCHERN UND LUFTBALLONEN

▷ Die Kinder stehen sich paarweise gegenüber und halten ein Rhythmiktuch an den vier Ecken fest. Sie tragen ihr Tuch durch den Raum: locker / gespannt / hochgehoben / mit angewinkelten Armen / mit gestreckten Armen ...

▷ Legen Sie auf jedes gespannte Tuch einen Luftballon. Die Kinder tragen den Ballon vorsichtig durch den Raum. Sie nehmen dabei Rücksicht auf die anderen Paare, weichen rechtzeitig aus und achten darauf, dass der Ballon möglichst nie auf den Boden fällt.

Partnerübung mit Rhythmiktuch und Luftballonen

▷ Die Kinder legen das Tuch mit dem Ballon vorsichtig auf den Boden und versuchen es wieder aufzunehmen, ohne dass der Ballon herunterfällt.

▷ Je nach den Fähigkeiten der Kinder können Sie einen zweiten oder dritten Ballon auf das Tuch legen.

▷ Die Kinder ordnen ihre gespannten Tücher zu einem „Tuchbild" am Boden. Zusammen mit den Luftballonen ergibt sich ein farbenfrohes, anregendes „Kunstwerk".

▷ Die Kinder gehen durch den Raum und treffen sich zu einer „Tuchstraße". Sie stehen paarweise mit gespanntem Tuch in einer Reihe. Legen Sie einen Ballon auf das erste Tuch. Die Kinder sollen versuchen, den Ballon von einem Paar zum andern weiterzugeben, ohne ihn mit den Händen zu berühren – nur mit Hilfe des gespannten Tuches. Ist der Ballon am Schluss der Straße angelangt, wandert er auf die gleiche Weise wieder zurück.

Variante: Wenn der erste Ball auf dem vierten Tuch angelangt ist, geben Sie einen zweiten Ball ins Spiel (je nach Gruppengröße auch noch weitere Ballone).

▷ Gleiche Aufstellung wie in der vorhergehenden Übung. Ist ein Ballon am Schluss der Straße angelangt, trägt ihn das letzte Paar auf dem Tuch zum Anfang der Straße und das Spiel beginnt von neuem.

Aufgabe für die Lehrkraft

▷ Beobachten Sie die einzelnen Gruppenmitglieder. Können sie sich einordnen? Nehmen sie Rücksicht aufeinander? Welche Kinder fallen auf? Warum?

Entwickeln und Fördern der Fantasie

Ziele und Lerninhalte dieser Einheit

▷ Fantasievoller Umgang mit einfachen, bekannten Materialien
▷ Entwickeln von Vorstellungskraft, Fantasie und Kreativität
▷ Experimentieren und Probieren

Fantasie und Vorstellungskraft sind wichtige Faktoren in der Entwicklung des Kindes. Sie fördern Konzentration, Denkvermögen, körperliche und geistige Wendigkeit sowie körperliche und sprachliche Ausdrucksfähigkeit. Sie vermitteln Sicherheit im Umgang mit sich selbst und im Umgang mit Partnern, mit der Gruppe, mit dem Material. Dadurch gewinnen die Kinder Selbstvertrauen und Selbstsicherheit. Räumen Sie viel Zeit ein für die Fantasieschulung! Das gibt Ihnen auch Spielraum, um auf das Kind einzugehen und es zu beobachten.

Achten Sie auf eine ruhige, entspannte, leise Gruppenatmosphäre – so kommen Sie zu einem guten Ergebnis. Fantasie kann sich nur entwickeln, wenn möglichst wenig Ablenkung von außen kommt. Gehen Sie feinfühlig vor und haben Sie Geduld mit Kindern, die anfänglich Mühe haben, Fantasie zu entwickeln – die intensive Arbeit in der Gruppe wirkt ansteckend!

Übungsmöglichkeiten   ⊙
23–31
33–42

– Erfinden von Beschäftigung mit verschiedenem Material in Einzelarbeit
– Erfinden von Beschäftigung mit verschiedenem Material zusammen mit einer Partnerin oder einem Partner

- Erfinden von Beschäftigung mit verschiedenem Material in der Gruppe
- Umsetzen von Geschichten in Bewegung (siehe Seite 24)
- Freies Bewegen zu Reimen, Versen, Liedern, Worten
- Freies Bewegen nach Musik und Klängen
- Bilder interpretieren (siehe Seite 32)
- Erfinden von Geschicklichkeitsspielen
- Spielen mit Stimme und Sprache

Beim Entwickeln und Fördern der Fantasie kommt es nicht auf spektakuläre oder grandiose Lektionsabläufe an – auch die einfachsten und elementarsten Tätigkeiten können zum Erfolg führen. Ausschlaggebend für ein gutes Ergebnis ist Ihre innere Überzeugung vom Wert dieser Arbeit. Jedes Kind kann dabei seinen Fähigkeiten entsprechend aktiv sein, gemäß seinem Entwicklungsstand Leistung erbringen und so Selbstsicherheit und Selbstvertrauen aufbauen.

FANTASIEÜBUNGEN MIT DEM SEIL – SCHULUNG DER FEINMOTORIK

Grundsätzlich eignet sich jedes Material zur Förderung und Schulung der Fantasie. Die Übungen können auf optischer, akustischer, taktiler oder motorischer Grundlage aufbauen. Jedes Material kann vielfach interpretiert werden. Eine Handtrommel z. B. ist nicht nur ein Musikinstrument, sie kann Sonne, Vollmond, Schüssel sein. Sie klingt wie Regen, wie Wind, wie ein galoppierendes Pferd ... Das Gymnastiksäckchen wird zum Rucksack, zur Mütze, zur Trommel, zum Ball und das Seil wird zur Schlange, zur Straße, zur Schnecke ...

Beschäftigungen für ein Kind allein:

Ideal sind Rhythmikseile in den Hauptfarben Rot, Grün, Gelb und Blau. Farben eignen sich grundsätzlich hervorragend für Fantasieübungen.

▷ Jedes Kind erhält ein Seil und soll sich überlegen, was man damit machen kann. Gehen Sie zunächst auf möglichst alle Vorschläge der Kinder ein und versuchen Sie, diese in der Gruppe umzusetzen. Sicher werden zunächst Vorschläge wie Seilhüpfen, Seilziehen, Seilschwingen, Seil als Peitsche verwenden u. Ä. kommen. Nehmen Sie diese Vorschläge auf, lenken Sie die Arbeit jedoch möglichst bald auf die feinmotorische Verwendung der Seile.

▷ Was kann ich nur mit den Fingern und dem Seil tun? Beispiele: das Seil mit zwei Fingern halten (mit Daumen und Zeigefinger / mit Daumen und Mittelfinger / mit Daumen und Ringfinger / mit Zeigefinger und Mittelfinger / mit Zeigefinger und Ringfinger), das Seil lässt sich um einen / um mehrere / um alle Finger wickeln ...

▷ Das Seil soll zwischen den Fingern wandern ohne Zuhilfenahme der anderen Hand. Vorschläge für das Lösen dieser Aufgabe werden aufgegriffen und in der Gruppe ausprobiert.

▷ Wie kann ich ein Seil von einer Hand in die andere geben? Die Kinder finden Möglichkeiten, die in der Gruppe erprobt werden.

▷ Das Seil wird langsam über einzelne Finger / durch die Faust / über den Handrücken / über den Unterarm gezogen.

▷ Die Kinder ziehen das Seil mit geschlossenen Augen langsam durch Daumen und Zeigefinger. Was spüren sie? Ist das Seil rau / glatt / angenehm / unangenehm?

▷ Die Kinder stehen im Kreis. Jedes erhält ein Seil mit einigen einfachen Knoten. Mit geschlossenen Augen soll es das Seil abtasten und erkennen, wie viele Knoten in seinem Seil sind. Mit geöffneten Augen wird nachgezählt, dann wandern die Seile im Uhrzeigersinn / im Gegenuhrzeigersinn weiter.

▷ Die Kinder werfen das Seil mit einer Hand in die Höhe und versuchen, es mit der gleichen Hand wieder aufzufangen. Auf welche Art lässt sich das tun? (Das Seil mit einer Hand in die Höhe werfen und mit der anderen Hand auffangen, mit der ganzen Hand / nur mit einzelnen Fingern / mit beiden Händen ...)

▷ Das Seil hängt nach unten und wird pantomimisch als Malstift eingesetzt. Die Kinder „malen" mit dem Seil etwas auf den Boden. Gehen Sie von einem Kind zum andern und versuchen Sie zu erkennen, was es malt.

▷ Jedes Kind legt mit dem Seil ein Bild auf dem Boden. Dann gehen die Kinder durch den Raum, betrachten die Bilder und versuchen, die Motive zu erkennen.

▷ Geben Sie Anweisungen, z. B. „Legt eine Schnecke / eine Schlange / ein Haus / einen Baum / einen Schneemann ..."

 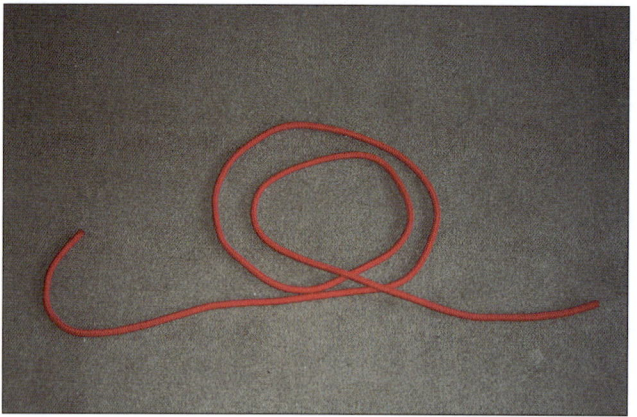 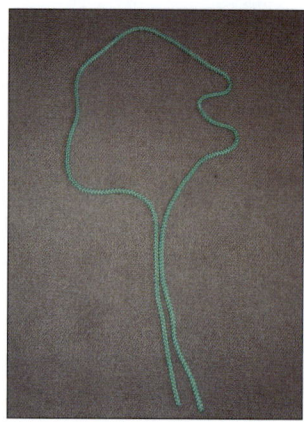

Figuren legen mit farbigen Rhythmikseilen

Partner- oder Gruppenübungen:

▷ Ein Kind macht mit dem Seil etwas vor, das andere macht es nach, gleichzeitig / zeitversetzt / spiegelbildlich.

▷ Ein Kind „malt" mit seinem Seil ein Bild auf den Boden (siehe Beschäftigungen für ein Kind allein), das zweite Kind beobachtet genau und „malt" dieses Bild nach.

▷ Ein Kind legt mit dem Seil ein Bild auf dem Boden, das zweite Kind versucht zu erkennen, was das Bild darstellen soll, und legt das Motiv möglichst exakt nach (direkt daneben / aus dem Gedächtnis).

Vormachen – nachmachen

▷ Ein Kind legt sein Seil in beliebiger Form auf den Boden, das zweite Kind ergänzt dieses Bild mit seinem Seil. Was ist entstanden? Wie kann das Bild so verändert werden, dass eine neue Figur oder Szene entsteht?

▷ Alle Kinder gehen durch den Raum und betrachten die Seilbilder. Die Kinder erzählen, was sie erkennen können.

▷ Die Kinder legen ihre Seile zu einem Gemeinschaftswerk auf dem Boden aus. Das Motiv kann vorher bestimmt und geplant werden, z. B. ein Spinnennetz.
Besonders reizvoll ist die Übung, wenn das Ergebnis nicht festgelegt wird und sich der Bildinhalt nach und nach entwickelt.

Tipp:
Für die Kinder ist es immer eine starke Motivation, wenn so ein Gemeinschaftsbild mit der Sofortbildkamera festgehalten wird und für die nächste Zeit einen Platz an der Pinnwand findet. Dadurch bekommt eine Aktion mehr Gewicht und bleibt den Kindern länger in Erinnerung.

▷ Ein Kind spielt Spinne und geht auf den Seilen über das Netz. Das Spinnennetz ist sehr zerbrechlich, deshalb muss die Spinne ganz vorsichtig / auf den Zehenspitzen / mit geschlossenen Augen über die Fäden gehen.

▷ Auch andere Tiere gehen über das Netz, z. B. wie eine Katze / ein Storch / ein Elefant ...

▷ Erarbeiten Sie mit den Kindern das Lied „Ein Elefant, ja, der balancierte auf einem Spinnen-, Spinnennetz" (siehe auch „Lieder im Rahmen der Rhythmik erarbeiten", Seite 25).

▷ Singspiel: Die Kinder singen das Lied, eines der Kinder geht über das Spinnennetz und holt sich eine „Freundin". Dann gehen beide gemeinsam über das Spinnennetz und holen sich nach und nach alle Kinder dazu. (Das Lied kann gesungen oder gesprochen werden.)

▷ Jedes Kind holt sich sein Seil. Finden alle ihr Seil wieder?

Die Kinder bilden einen Kreis. Der Reihe nach wirft jedes Kind sein Seil auf seine eigene Art in die Mitte des Kreises. So entsteht ein farbiges Bild. Die Kinder betrachten das entstandene „Kunstwerk" und erklären, was sie erkennen können.

Aufgaben für die Lehrkraft

▷ Betrachten Sie Materialien, Geräte und Instrumente als zweckfreies Material. Was lässt sich mit diesen Dingen machen? Wie können Sie sie in der Rhythmik sinnvoll einsetzen? Was fällt Ihnen zu den einzelnen Materialien ein?
Es sieht aus wie ...
Es hört sich an wie ...
Es eignet sich gut für ...
▷ Suchen Sie Materialien im Haus, im Garten, in der Natur, die bestimmte Dinge oder Begriffe darstellen könnten. Unterscheiden Sie Materialien, die sich gut für den optischen Bereich eignen, Materialien, welche die Fantasie akustisch anregen, Materialien, die den taktilen Bereich stimulieren. Ideal ist alles, was mehrfach verwendet werden kann.

Sinnesschulung

> **Ziele und Lerninhalte dieser Einheit**
>
> ▷ Sensibilisierung der Sinne
> ▷ Aufmerksamkeits- und Konzentrationstraining
> ▷ Bewussteres Aufnehmen der Umwelt
>
> Durch die Arbeit mit den Sinnen werden die Kinder sensibilisiert. Gezielte Sinnesübungen – Hören, Sehen, Riechen, Schmecken und Tasten – können der vielschichtigen Reizüberflutung spielerisch entgegenwirken. Das intensivere Erleben führt zu intensiverem Erkennen und Erfassen von Gegebenheiten und Situationen. Basisfähigkeiten wie Aufmerksamkeit, Konzentration u. a., die vom Kind bei Schuleintritt gefordert werden, können so auf einfache Art vermittelt werden.

Die Arbeit mit den Sinnen und der gezielte Einsatz der einzelnen Sinne spielt in der Erziehungsarbeit eine immer wichtigere Rolle. Genaues Beobachten, genaues Hinhören und genaues Differenzieren des Gehörten oder Gesehenen wird sowohl im Vorschulbereich und im Kindergarten wie auch in der Schule vorausgesetzt. Im Hinblick auf die zukünftigen Leistungsanforderungen ist es notwendig, dass die Kinder ihre Sinne wach und intensiv gebrauchen können. Durch die ständige Reizüberflutung, der schon Vorschulkinder ausgesetzt sind, sind diese Voraussetzungen oft nicht mehr gegeben und müssen zum Teil mühsam wieder geschaffen werden. Ohne sie ist es dem Kind kaum möglich, Gesehenes oder Gehörtes richtig zu verarbeiten und aufzunehmen.

In der Praxis bieten sich unzählige Möglichkeiten, Sinnesarbeit zu betreiben. Sehen, Hören, Tasten, Riechen, Schmecken – alle diese Wahrnehmungen lassen sich ohne großen Aufwand im Alltag gezielt schulen. Dabei geht es nicht in erster Linie um die Sinneseindrücke selbst, sondern um das Reagieren darauf und das Umsetzen des Gehörten, Gesehenen oder Gespürten.

„Das Reagieren auf Sinneseindrücke erfordert Konzentration. Konzentration ist aber kein Krampf, sondern eine gelöste Hingabe." (Mimi Scheiblauer)

Möglichkeiten zur Sinnesschulung

Sehen:

– Betrachten von verschiedenen Materialien (bekanntem und unbekanntem Material)
– Betrachten von Bildern
– Betrachten von zufällig entstandenen „Bildern" (siehe Seilbilder im Kapitel „Fantasieübungen mit dem Seil", Seite 41 und 42)
– Beobachten der Mimik und Gestik des Partners bei Übungen zu zweit
– Genaues Beobachten von optischen Signalen (Ampel, Bremslichter, Verkehrsschilder u. Ä.)
– Beobachten von Übungsabläufen mit oder ohne Material

Hören: ⊙
24–26
35–47

– Hören von akustischen Signalen (Sirene, Autohupe, Türklingel, Telefon)
– Hören von musikalischen Klängen (Wie klingt das? Was kann das sein?)
– Hören von Sprache und Lauten (leise, laut, deutlich, undeutlich, beruhigend, bedrohlich)
– Hören von Geräuschen, die mit Körperinstrumenten erzeugt werden (klatschen, patschen, stampfen, schnalzen, Schritte, Getrampel)
– Hören von Geräuschen und Klängen, die durch Materialien entstehen (Papierrascheln, Scherenklappern, Stühlerücken …)
– Hören von kurzen Musiksequenzen (Instrumente, Lautstärke und Tempo unterscheiden)
– Hören von längeren Musikstücken oder kompletten Werken wie „Peter und der Wolf" oder „Kindersinfonie" (Erfassen von Inhalten und Stimmungen)

Tasten, taktiles Erfassen:

– Materialien ertasten – mit offenen oder geschlossenen Augen (Größe, Oberflächenbeschaffenheit, Wärmequalität)
– Erfassen von Gewichtsverhältnissen (leicht, schwer)

Riechen:

- Riechen an Blumen (angenehmer oder unangenehmer Geruch, starker oder schwacher Geruch)
- Riechen an Lebensmitteln, z. B. an frischem Brot, Kuchen, Früchten, Käse, Gewürzen
- Riechen an verschiedenen Parfümfläschchen und Toilettenartikeln

Schmecken:

- Schmecken von Getränken mit offenen Augen (Cola, Orangenlimo, Zitronenlimo, Wasser, Tee)
- Schmecken von Lebensmitteln mit offenen Augen (verschiedene Brotsorten, verschiedene Apfelsorten ...)
- Erkennen verschiedener Getränke mit geschlossenen Augen (siehe oben)
- Schmecken verschiedener Lebensmittel mit geschlossenen Augen (Schokolade, Gummibärchen, Bonbons, Pfefferminzdragees ...)
- Erkennen verschiedener Obstsorten mit geschlossenen Augen (Orangen, Bananen, Zitronen, Äpfel, Birnen, verschiedene Beeren)

Sinnesübungen können nur in ruhiger und entspannter Atmosphäre gut gelingen. Arbeiten Sie im Vorfeld auf Ruhe und Stille hin. Versuchen Sie, selbst zur Ruhe zu kommen und sich voll in die Arbeit hineinzugeben. Sie werden positive Erfahrungen machen, sensibler werden und Dinge erkennen, die für Sie zunächst nicht oder nur am Rande eine Rolle gespielt haben.

Sehen – Übungen mit Rhythmiktüchern oder/und Luftballonen

Die Kombination von Rhythmiktuch und Luftballon(en) ist für die optische Arbeit sehr geeignet. Beide Materialien regen durch die Farben das Hinschauen an. Außerdem bieten die unterschiedlichen Formen – eckig und rund – Möglichkeiten, Assoziationen zu entwickeln.

mit Rhythmiktüchern:

▷ Die Kinder gehen durch den Raum. Geben Sie Anweisungen mit Tüchern verschiedener Farbe: rot = stehen bleiben / grün = weitergehen / blau = sich auf den Boden setzen / gelb = wieder aufstehen ...

▷ Jedes Kind erhält ein Tuch. Welche Farbe hat es? Wie fühlt es sich an? Welche Form hat es? (rot / grün / gelb / blau / weich / groß / viereckig / leicht). Welche Eigenschaften kann man mit den Augen erkennen, welche mit anderen Sinnen? (Welche Eigenschaften lassen sich auch mit verbundenen Augen erkennen, welche nicht?)

▷ Halten Sie ein rotes Tuch in die Höhe, alle Kinder mit roten Tüchern machen es nach. Schütteln Sie ein blaues Tuch, alle Kinder mit blauen Tüchern schütteln ihr Tuch ...

▷ Die Kinder lassen ihr Tuch auf den Boden fallen. Es entsteht eine Form. Woran erinnert sie? (Blatt, Blume, Maulwurfshügel ...)

▷ Die Kinder gehen durch den Raum, auf ein Zeichen lassen alle ihr Tuch fallen. Was ist entstanden? (Blumenwiese, modernes Gemälde ...)

▷ Die Kinder ordnen ihre Tücher zu einem Muster, betrachten es gemeinsam und beschreiben es.

▷ Sie ordnen ihre Tücher auf dem Boden nach den Farben, z. B. innen alle roten Tücher, rundherum alle blauen, dann die grünen ...

▷ Die Kinder legen eine „Tuchstraße" und gehen von Tuch zu Tuch diese Straße entlang.
Variante: Ein Kind nach dem andern geht nach vereinbarten Regeln über die Tuchstraße, z. B. auf dem roten Tuch muss man stehen bleiben, sich einmal drehen und dann weitergehen; auf dem gelben Tuch muss man 2-mal klatschen ...

▷ Jedes Kind legt sein Tuch in der Raummitte ausgebreitet auf den Boden. Die Kinder stehen im Kreis, betrachten das entstandene Bild und beschreiben es.

mit Rhythmiktüchern und Luftballonen:

▷ Fortsetzung der vorhergehenden Übung. Die Kinder halten die Augen geschlossen, während Sie aufgeblasene rote, grüne, gelbe und blaue Luftballone in den gleichen Farben dazwischen legen. Es entsteht ein neues, noch bunteres Bild, das wiederum betrachtet und beschrieben wird. Wie unterscheiden sich Tücher und Ballone? (Material, Form ...)

▷ Jedes Kind nimmt sich einen Luftballon, betrachtet ihn, beschreibt Farbe, Größe und Gewicht.

▷ [A8] Immer zwei Kinder gehen zusammen und legen die Muster auf Arbeitsblatt A8 nach. (Für Kinder, die noch nicht lesen können, malen Sie das Blatt den Farbangaben entsprechend aus.)

Hören – Übungen mit Rhythmiktüchern und Luftballonen

Beim Arbeiten mit Tüchern und Luftballonen müssen sich die Kinder stark konzentrieren und genau hinhören, um die Geräusche zu erkennen, die mit diesen „leisen" Materialien erzeugt werden können.

mit Rhythmiktüchern und Luftballonen:

▷ Tücher und Ballone liegen verteilt auf dem Boden (siehe vorhergehende Übungen). Jedes Kind steht bei seinem Tuch. Kann ich das Tuch hören? Was muss ich tun, damit ich es hören kann?

▷ Kann ich das Tuch hören, wenn ich es fallen lasse? Wie klingt es?

▷ Die Kinder lassen ihre Tücher gemeinsam fallen. Wie klingt das?

▷ Die Kinder legen die Tücher ab und wenden sich den Ballonen zu. Kann ich den Ballon hören? Was muss ich tun, damit ich ihn hören kann?

▷ Jedes Kind nimmt einen Ballon in die Hände und lässt ihn klingen (streichen / mit der Hand klopfen / mit den Fingern tippen / quietschen ...).

▷ Die Kinder machen die Geräusche nach, die Sie ihnen vormachen. Dann darf ein Kind vormachen, alle anderen machen nach.

▷ Alle Kinder fangen ohne Signal mit einem Ballongeräusch ihrer Wahl an und hören ohne Signal möglichst gemeinsam wieder auf.

(Machen Sie die Kinder darauf aufmerksam, dass der Geräuschpegel nicht zu hoch werden darf, da sonst das sensible Hören eingeschränkt wird.)

▷ Die Kinder erzeugen beliebige Geräusche, die leise beginnen und allmählich lauter werden. Damit auch diese Übung nicht in ein übermäßiges „Krachmachen" mündet, sollen die Kinder auf Ihr Zeichen hin wieder langsam leiser werden, bis das Geräusch abebbt.

▷ Die Kinder lassen ihre Ballone gleichzeitig fallen und hören auf das Aufprallgeräusch am Boden. Wie klingt das? (leise / dumpf ...)

▷ Nach einigen Wiederholungen nehmen die Kinder die Tücher wieder auf. Sie lassen Ballon und Tuch gleichzeitig fallen, alle Kinder zusammen / ein einzelnes Kind. Was kann man besser hören, Tuch oder Ballon, viele oder einzelne Tücher bzw. Ballone?

▷ Nach der letzen Übung bleiben Tücher und Ballone auf dem Boden liegen. Es ist ein neues Bild entstanden. Was fällt den Kindern dazu ein?

„Bilder" aus Tüchern und Ballonen interpretieren

Tasten – Übungen mit verschieden beschaffenen Gegenständen

Vorbereitung: Legen Sie verschiedene Gegenstände wie Steine, verschiedene Holzklötzchen oder wertlose Materialien wie Joghurtbecher, Dosen aller Art u. Ä.

bereit. Jeder Gegenstand sollte in mehreren Varianten vorhanden sein und zudem in entsprechender Anzahl auch als Foto oder Zeichnung bereitliegen.

Legen Sie von vier Sorten der bereitgelegten Materialien mehrere Exemplare in der Mitte des Raumes unter ein farbiges Rhythmiktuch (80 x 80 cm).

Variante: Die Gegenstände lassen sich ebenso gut in einen Stoffsack oder in eine undurchsichtige Plastiktüte (ohne Werbedruck) packen, der bei den Übungen im Kreis herumgereicht wird.

(Hinweis: Diese Einheit eignet sich nicht für allzu große Gruppen, da sich sonst zu lange Wartezeiten für die einzelnen Kinder ergeben.)

▷ Die Kinder stehen im Kreis. Ein Kind nach dem anderen geht zur Mitte, greift unter das Tuch und ertastet darunter einen Gegenstand. Es versucht, ihn zu erkennen und sich zu merken. Nachdem alle Kinder an der Reihe waren, beschreiben sie, was sie getastet und gefühlt haben. Waren die Gegenstände rau, glatt, angenehm, unangenehm, hart, weich …?

▷ Legen Sie mehrere Bilder der verschiedenen Materialien im Kreis auf dem Boden aus. Die Kinder suchen der Reihe nach das Bild, das zu dem von ihnen ertasteten Gegenstand passt und benennen ihn.

▷ Die Kinder legen ihr Bild vor sich auf den Boden und halten die Hände hinter den Rücken. Geben Sie nacheinander jedem Kind eines der vier Materialien in die Hand. Erkennt ein Kind „seinen" Gegenstand, darf es ihn mit seinem Bild vergleichen. Entspricht er dem Bild, darf es ihn behalten, andernfalls gibt es ihn wieder zurück. Dann kommt es beim nächsten Durchgang wieder an die Reihe. Dies wird so lange wiederholt, bis alle Kinder ihre Gegenstände richtig erkannt haben.

▷ Die Kinder setzen sich auf den Boden und vergleichen ihr Bild nochmals mit dem echten Gegenstand. Ist der Gegenstand größer oder kleiner? Stimmt die Farbe mit dem Bild überein? Was ist schöner, das Material oder das Bild?

▷ Immer zwei Kinder mit den gleichen Materialien vergleichen ihre Gegenstände miteinander. Sie sehen sie genau an, tasten sie ab und sprechen über das, was sie sehen und fühlen. Welcher Gegenstand ist größer / kleiner / schwerer / leichter / rauer / glatter? Wie unterscheiden sich die Gegenstände von den Bildern?

▷ Die Kinder legen ihr Bild mit dem Gegenstand darauf neben sich auf dem Boden ab und gehen nochmals der Reihe nach zum Tuch. Sie suchen sich darunter – nur durch Abtasten – einen gleichartigen Gegenstand aus und nehmen ihn mit an ihren Platz.

(Verwendet man einen Tastsack, wird dieser noch einmal rundumgereicht.)

▷ Die Kinder tragen die beiden gleichen Gegenstände in je einer Hand durch den Raum, um das Gewicht bewusster zu spüren. Auf ein Signal werden die Gegenstände in der Mitte des Raumes auf dem Boden in eine Reihe gelegt, geordnet nach Größe, Gewicht, Rauheit der Oberfläche usw. Die Kinder dürfen das „Gesetz" der Reihe selbst bestimmen – vom Größten zum Kleinsten, vom Leichtesten zum Schwersten …

▷ Zum Schluss legen alle gemeinsam ein Bild, das jedes Kind auf einem Blatt Papier möglichst genau nachmalt – eine Aufgabe, die das Raumlagebewusstsein fordert und fördert.

RIECHEN – ÜBUNGEN MIT BLUMEN

Diese „Riechaufgaben" eignen sich für die warme Jahreszeit, wenn viele verschiedene Blumen im Blumenbeet zu finden sind. Gehen Sie mit den Kindern hinaus in die Natur oder vereinbaren Sie einen Besuch in einer Blumengärtnerei, dort ist – auf kleinem Raum – eine große Auswahl an Blumen bzw. Düften gewährleistet.

> Gehen Sie mit den Pflanzen sorgsam um – lassen Sie sie, wenn immer möglich, an ihrem angestammten Platz stehen. Wenn Sie Pflanzen schneiden müssen, tun Sie dies im Beisein der Kinder und mit gebührender Sorgfalt; gemeinsam werden die Pflanzen nach „Gebrauch" in frisches Wasser gestellt.

▷ Wir suchen am Wiesenrand (der Besitzer wird es uns danken!) oder in der Gärtnerei gemeinsam nach Blumen oder Pflanzen, die ganz oder fast geruchlos sind. Die Kinder beschreiben Farbe, Größe usw. dieser Blumen oder Pflanzen.

▷ Wir suchen eine Pflanze, die stark riecht. Ist sie groß / klein / farbig …? Wie riecht sie?

▷ Wir vergleichen den Duft verschiedener Blüten.

▷ Auch Blätter können ganz unterschiedlich riechen. Wer findet eine Pflanze mit besonders intensivem Blattgeruch?

▷ Bereiten Sie einen Strauß Schnittblumen vor. Die Kinder dürfen mit diesen Blumen eine „Riechreihe" legen. Beispiel: eine Blume mit Geruch, eine Blume ohne Geruch ...

▷ Die Kinder bilden mit den Blumen eine „Geruchsstraße", die von der Blume mit dem stärksten Geruch bis zur geruchlosen Blume reicht. Lassen Sie Diskussionen zwischen den Kindern zu!

▷ Auf einem großen weißen Papier, das auf dem Boden liegt, ordnen die Kinder einen „Duftblumenteppich". Innen liegen alle Blumen ohne Geruch – nach außen werden die Blumen mit weniger oder mehr Geruch platziert – der Geruch der Blumen formt das Bild.

▷ Die Kinder betrachten das Bild und beschreiben es.

Tipp:
Leider welken Schnittblumen schnell – ein Foto verleiht dem Duftblumenteppich Haltbarkeit und lässt sich kopiert sogar zu originellen Glückwunschkarten verarbeiten.

SCHMECKEN – ÜBUNGEN MIT GETRÄNKEN

Im Schulalltag haben Geruchs- und Geschmackssinn gegenüber dem Sehen und dem Hören sehr wenig Gewicht und sollten im Rhythmikunterricht gebührend beachtet werden. Lektionen, in denen es etwas zu essen oder zu trinken gibt, sind außergewöhnlich und bei den Kindern sehr beliebt. Nutzen Sie das Interesse, um die Kinder ganz bewusstes Schmecken und Riechen und das Unterscheiden von beidem erleben zu lassen.

▷ Die Kinder sitzen im Stuhlkreis und erzählen, welches Getränk ihnen am besten schmeckt. (Limonade, Cola, Wasser, Apfelsaft, Mineralwasser mit Kohlensäure, Tee, Milch ...) Sie erklären, warum ihnen ein bestimmtes Getränk schmeckt / nicht schmeckt.
(Es ist sauer / süß / warm / kalt / es prickelt / es prickelt nicht ...)

▷ Bereiten Sie Getränke in dunklen Gefäßen vor in denen die Farbe des Getränkes nicht oder schwer erkennbar ist. Jedes Kind bekommt in seinen (dunklen) Becher einen kleinen Schluck und beschreibt, wie dieses Getränk schmeckt: warm / kalt / süß / sauer / bitter / gut / nicht gut / es blubbert / es blubbert nicht ...Was kann das für ein Getränk sein?

▷ Den Kindern werden reihum die Augen verbunden. Sie sollen versuchen, ein Getränk „blind" zu erkennen. (Woran haben sie es erkannt? / Warum haben sie falsch geraten?)

Ähnliche Übungen lassen sich mit Lebensmitteln durchführen (siehe auch „Möglichkeiten zur Sinnesschulung" in der Einführung in dieses Kapitel). Beginnen Sie mit Dingen, die leicht zu erkennen und auseinanderzuhalten sind (Schokolade, Karotte, Zwieback ...) und gehen Sie allmählich zu anspruchsvolleren Differenzierungsübungen über. Bei schwierigeren Aufgaben dürfen die Kinder immer zuerst mit offenen Augen probieren, um den Geschmack z. B. der einzelnen Brot- oder Apfelsorten kennenzulernen.

> Gehen Sie bei den nachfolgenden Aufgaben sehr sorgfältig mit Lebensmitteln und Getränken um, die Arbeit darf keinesfalls in „Spielen mit Esswaren" ausarten.
> Wählen Sie Lebensmittel, die weder Vegetarier noch Kinder, die aus religiösen Gründen bestimmte Speisevorschriften einhalten müssen, in Konflikt bringen können.

Aufgaben für die Lehrkraft

▷ Alle Sinnesübungen, die Sie mit den Kindern durchführen wollen, sollten Sie im Vorfeld selbst ausprobieren.

▷ Werden Sie sich bewusst, wie Sie Ihre eigenen Sinne einsetzen. Nur so können Sie die Übungen zielgerichtet durchführen. Dann erkennen Sie auch sehr schnell, wo etwaige Schwierigkeiten auftreten können und worauf besonders zu achten ist. Gerade Sinnesübungen dürfen auf keinen Fall dem Zufall überlassen werden, dafür ist das Ziel zu wichtig!

Begriffsbildung

> **Ziele und Lerninhalte dieser Einheit**
>
> ▷ Genaues Beobachten und Differenzieren
> ▷ Steigerung der Konzentration
> ▷ Förderung des Auffassungsvermögens
>
> Durch das eigene Tun kommt es zu einem intensiven Erfassen und Verstehen von Vorgängen und Situationen. Inhalte und Begriffe werden aufgenommen, differenziert und erklärt. Die gewonnenen Erkenntnisse bleiben als Wissen gespeichert und können zu einem späteren Zeitpunkt hervorgeholt, eingesetzt und verwertet werden.

„Nichts ist im Verstand, was nicht zuvor in den Sinnen war." (John Locke)

Begriffe werden im Sinne der Rhythmik nicht erklärt, sondern *erlebt*. Eigenschaften wie „schwer" und „leicht" werden kaum verstanden, wenn es nicht möglich ist, Gewichtsunterschiede ganz real zu spüren und zu erfahren. Soll ein Kind etwas begreifen, muss es die Inhalte erleben. Dieser Vorgang besteht immer aus den Schritten „Tun und Erleben", „Verstehen und Erkennen" und „Benennen". Der Weg vom Greifen zum Begreifen ist logisch und nicht kompliziert. Machen Sie sich immer wieder Gedanken darüber, auf welche Weise Sie den Kindern Begriffe näher bringen wollen. Lassen Sie sich von Ihrer Kreativität und Fantasie leiten!

SCHWER – LEICHT

Falls der Rhythmikraum einen empfindlichen Bodenbelag aufweist, sollten die Übungen mit den Steinen im Freien, am besten auf einem asphaltierten oder betonierten Platz durchgeführt werden. Eine Wiese ist weniger geeignet, da die Steine beim Aufprall auf dem Boden kaum zu hören sind.

▷ Die Kinder gehen nach Ihren Anweisungen „schwer" (z. B. trampelnd) oder „leicht" (z. B. auf den Zehenspitzen) durch den Raum. Lassen Sie die Kinder erklären, was zu hören ist, wenn wir „schwer gehen", was, wenn wir „leicht gehen". Für den schweren Gang brauchen wir mehr Kraft, beim leichten Gang genügt weniger Kraftaufwand.

▷ Steuern Sie das Gehen im Raum mit Instrumenten, z. B. Handtrommel = schwer gehen; Triangel = leicht gehen.

▷ Das Steuern mit Instrumenten können reihum auch die Kinder übernehmen, damit sie das Gefühl für kraftvolleres und feinfühligeres Arbeiten mit der Handtrommel bekommen.

▷ Die Kinder gehen ohne Steuerung weiter durch den Raum und kommen einzeln an Ihnen vorbei. Legen Sie jedem einen etwas schwereren Stein auf die flache Hand.

▷ Die Kinder probieren, wie schnell sie gehen können, ohne dass der Stein von der (flachen) Hand herunterfällt. Was ist vom Stein beim Gehen zu spüren?

▷ Die Gruppe trifft sich im Kreis. Die Kinder zeigen ihre Steine und beschreiben sie. Ist mein Stein groß oder klein, rund oder eckig, kalt oder warm, schwer oder leicht?

▷ Die Steine wandern zwischen der linken und der rechten Hand hin und her. Ist das schwierig oder einfach? Die Kinder werfen ihren Stein leicht in die Höhe und versuchen ihn mit einer Hand / mit beiden Händen wieder aufzufangen.

▷ Die Kinder lassen ihre Steine der Reihe nach zu Boden fallen. Alle hören zu. Klingen alle Steine gleich, bleiben sie sofort liegen oder hüpfen sie mehrmals auf? Welche klingen laut, welche klingen leise? Die großen, schweren Steine klingen laut, die kleinen, leichteren Steine klingen leiser.

▷ Die Kinder lassen ihre Steine auf dem Boden liegen. Sie merken sich ihren Stein und gehen aus dem Kreis wieder in den freien Raum. Sie gehen laut und schwer oder leise und leicht, wiederum geführt von Handtrommel und Triangel.

▷ Die Kinder gehen ohne Steuerung weiter durch den Raum und kommen einzeln an Ihnen vorbei. Legen Sie jedem eine kleine Vogelfeder in die flache Hand.

▷ Die Kinder probieren, wie die Feder reagiert, wenn sie gehen. Wie verhält sich die Feder bei langsamem Gehen / bei schnellem Gehen? Können die Kinder die Feder auf der Handfläche spüren? Wie müssen sie gehen, damit die Feder nicht von der Hand herunterfällt?

schwer und leicht

▷ Die Gruppe trifft sich wieder im Kreis für ähnliche Übungen wie mit dem Stein.
Kann ich die Feder leicht von einer Hand in die andere legen? Kann ich sie leicht in die Höhe werfen und wieder auffangen? Wie fällt sie zu Boden? Was höre ich?

▷ Jedes Kind nimmt in eine Hand den Stein, in die andere Hand die Vogelfeder. Was kann ich in der Hand besser spüren? Was passiert, wenn ich auf den Stein / auf die Feder blase? Warum?

▷ Jedes Kind lässt Stein und Vogelfeder gleichzeitig zu Boden fallen. Es wiederholt dies mehrmals. Dabei beobachtet es beide Materialien. Worin besteht der Unterschied beim Fallen?

▷ Zum Abschluss dieser Rhythmikeinheit legen die Kinder gemeinsam mit den Steinen und den Federn ein Muster oder ein Bild auf dem Boden. Sie beschreiben und interpretieren, was sie sehen.

A9 Ähnliche Übungen rund um das Gewicht lassen sich auch mit anderen Materialien realisieren, z. B. mit Tennisball und Tischtennisball, Holzkugel und Gummiball, Gymnastiksäckchen und Papierta-schentuch oder Tuch und Seidenpapier ... Das Gewichtsempfinden ist immer relativ: An sich ist ein Tuch leicht, im Vergleich zu Seidenpapier aber schwer!

Auch für das Erleben und Erfahren anderer Begriffe bzw. Begriffspaare finden sich beim Rhythmikmaterial und im Alltag viele geeignete Objekte und Möglichkeiten:

RUND – ECKIG

– Holzkugel und Holzwürfel
– Luftballon und Rhythmiktuch
– japanischer Papierball und Papiertaschentuch
– großer Schaumstoffball und großer Schaumstoffwürfel

rund und eckig

LANG – KURZ

– lange und kurze Holzstäbchen
– lange und kurze Seile
– langer Weg und kurzer Weg (z. B. durch den ganzen Raum gehen / nur bis zur Mitte gehen)
– langes und kurzes Musikstück
– lange und kurze Geschichte

lang und kurz

LAUT — LEISE

- lautes und leises Instrument (z. B. Trommel und Fingerzimbel; Pauke und Holzblocktrommel ...)
- laut und leise gehen
- lauter und leiser Einsatz der Körperinstrumente (klatschen, patschen, stampfen ...)
- laute und leise Musik
- lautes und leises Sprechen

laut und leise

GROSS — KLEIN

- großer und kleiner Ball
- großes und kleines Tuch
- großes und kleines Bild (die Kinder malen z. B. ein großes Haus und ein kleines Haus)
- großer und kleiner Baum im Garten
- große und kleine Frucht
- großes und kleines Kind

OBEN — UNTEN, HOCH — TIEF (optisch und akustisch)

- Mensch: Kopf und Haare sind oben, Zehen und Ferse sind unten
- Zeichnung: der Himmel ist oben, die Wiese ist unten
- Tiere: die Vögel fliegen (hoch) oben, der Maulwurf gräbt unten (tief im Boden)
- Regal: die Tassen stehen oben, die Teller stehen unten
- Bild: das kleine Bild hängt oben, das große Bild hängt unten
- Welche Dinge sind oben? Welche Dinge sind unten?
- Welcher Ton ist hoch? Welcher Ton ist tief? (die Kinder probieren verschiedene Instrumente aus)
- Was klingt hoch? Was klingt tief?

groß und klein

oben und unten

> **Aufgaben für die Lehrkraft**
>
> ▷ Viele, auch einfache Materialien eignen sich für die Begriffsbildung. Betrachten Sie Ihr Umfeld mit „offenen" Augen und halten Sie ständig nach neuen Möglichkeiten und Materialien Ausschau. Es müssen es nicht immer so genannte Rhythmikmaterialien sein. Im Haus und in der Natur bieten sich viele Dinge für eine sinnvolle Arbeit an.
> ▷ Richten Sie im Rhythmikraum, im Kindergarten, in der Schule einen Schrank ein, in dem Sie viele unterschiedliche Materialien sammeln. Suchen Sie gezielt, aber sammeln Sie auch spontan, was Ihnen im Hinblick auf einen sinnvollen Einsatz in der Praxis nützlich scheint. Wenn Sie das Sammeln konzentriert angehen, werden Sie schnell zu einem vielseitigen Materialvorrat kommen.

Entwickeln des Körperbewusstseins

> **Ziele und Lerninhalte dieser Einheit**
>
> ▷ Bewusstmachen der einzelnen Körperteile, ihrer Funktion und Einsatzmöglichkeiten
> ▷ Steigerung der Selbstsicherheit durch geschickten Umgang mit ungewöhnlichen Tätigkeiten und Aufgabenstellungen
> ▷ Austesten der eigenen Fähigkeiten
> ▷ Experimentieren mit ungewöhnlichen Bewegungsabläufen
>
> Die in diesem Kapitel vorgeschlagenen, für die Kinder immer spannenden Aufgaben steigern Geschicklichkeit, Selbstvertrauen und Selbstsicherheit.

Wenn ein Kind selbstsicher mit seinem Körper umgeht, wird es in der Regel auch selbstsicherer mit den Anforderungen des Alltags umgehen. Sind Bewegung und Körpereinsatz zielgerichtet und sicher, wird es auch in anderen Bereichen zielgerichteter und sicherer handeln. Unsicherheit in der Körperbewegung lässt oftmals auf Angst, Widerwillen oder allgemeine Unsicherheit schließen.
Das genaue Beobachten einfachster Bewegungsabläufe kann Ihnen bereits viele Hinweise für die erste Einschätzung eines Kindes geben.

Gelingt es Ihnen, mit den Möglichkeiten der Rhythmik die Bewegungsfähigkeit eines Kindes zu fördern, es in seinem Auftreten sicherer zu machen und dadurch seine Selbstsicherheit zu erhöhen, wird sich das auch in seinem Konzentrationsvermögen und der geistigen Leistungsfähigkeit niederschlagen. Vermeiden Sie jedoch Übungen und Aktivitäten aus dem Sportbereich. Sportliche Betätigung dient vor allem der Steigerung der körperlichen Leistungsfähigkeit. In der Rhythmik kommt es aber nicht darauf an, wie schnell ein Kind laufen, wie hoch es hüpfen oder wie weit es springen kann – wichtig ist, dass es die vorhandenen körperlichen Fähigkeiten nutzen und zielgerichtet einzusetzen vermag.

Den Ehrgeiz, „es besser zu können als die andern", darf es in der Rhythmik nicht geben. Bewegung und Leistung dürfen in der Rhythmik nicht zu einem messbaren und vergleichbaren Wert werden – es zählen die *persönlichen* Erfolge des Kindes, die es aus seinen momentanen Fähigkeiten heraus erbringen kann. Diese dem Kind eigene Leistungsfähigkeit spielerisch zu steigern und zu fördern, ist eine wichtige Aufgabe in der Rhythmik. Um dieses Ziel zu erreichen, muss den Kindern zunächst die Möglichkeit gegeben werden, sich der einzelnen Bereiche und Teile ihres Körpers bewusst zu werden, sie zu benennen und Möglichkeiten auszuloten, mit ihnen sinnvoll umzugehen.

Übung zum Benennen und Bewusstmachen der Körperteile

Gruppenübungen:

▷ Die Kinder gehen frei durch Raum und beobachten sich selbst. Sie beobachten ihre Beine / ihre Arme und Hände / ihren Kopf / ihren Bauch …

▷ Die Kinder suchen sich einen freien Platz im Raum. Sie bewegen ihre Körperteile einzeln: die Füße / die Arme / die Schultern / den Bauch / die Knie …
Geben Sie verbale Anweisungen oder zeigen Sie die Abbildung des entsprechenden Körperteils, der bewegt werden soll.

| A10 |
| A11 |
| A12 |

Die Zeigekarten auf den Arbeitsblättern A10, A11 und A12 werden auf festes Papier kopiert, ausgeschnitten und eventuell laminiert. Mehrfach kopiert lassen sich die Karten auch in der Partnerarbeit für vielfältige Übungen einsetzen.

▷ Ein Kind stellt sich so hin, dass es alle sehen können, und bewegt verschiedene Körperteile, die anderen Kinder benennen diese Körperteile und machen die Bewegung so genau wie möglich nach. Achten Sie darauf, dass jedes Kind einmal an die Reihe kommt.

▷ Geben Sie verbale Anweisungen, welche Körperteile bewegt werden sollen, z. B. „Strecke deinen rechten Arm weit nach oben. Hebe den rechten Fuß in die Höhe. Nicke mit dem Kopf. Strecke den Bauch heraus …"

▷ Jedes Kind bekommt ein Gymnastiksäckchen. Geben Sie Anweisungen, z. B. „Lege das Säckchen auf die rechte Schulter / auf den Kopf / auf die linke Faust. Hebe den rechten Oberschenkel und lege das Säckchen darauf. Lege das Säckchen auf den linken Fuß und hebe ihn hoch …"

Partnerübungen:

Nehmen Sie aktiv an der Übung teil, wenn die Gruppe eine ungerade Anzahl Kinder hat.

▷ Abwechselnd macht ein Kind mit einem Körperteil etwas vor, das andere macht die Bewegung möglichst exakt nach (rechter Arm – rechter Arm, linker Arm – linker Arm!). Achten Sie darauf, dass Kinder keine akrobatischen Kunststücke vormachen, sondern nur einfache Bewegungen, die der Partner ohne Schwierigkeiten imitieren kann.

▷ Die Kinder geben einander verbale Anweisungen, z. B. „Schwinge deinen rechten Arm. Kreise mit dem linken Fuß. Winke mit der rechten Hand. Zeige mir deinen linken Daumen. Lege mir das Säckchen auf den rechten Arm / auf den Kopf / auf den ausgestreckten Handrücken …" Dabei werden die Rollen immer wieder getauscht.

▷ Bereiten Sie für jedes Kinderpaar ein großes weißes Papier vor (z. B. weiße Papiertischdecke, an Rollen im Fachhandel erhältlich).
Eines der beiden Kinder legt sich auf dem am Boden ausgelegten Papier auf den Rücken und breitet seine Arme soweit aus, dass Hände und Finger noch auf dem Papier liegen. Das andere Kind legt ihm – entsprechend Ihren Anweisungen – ein Gymnastiksäckchen auf verschiedene Körperteile. In dieser Lage kann das Säckchen auch auf die Stirn, den Bauch, die Brust, den linken Unterschenkel usw. gelegt werden – in aufrechter Haltung ist dies nicht möglich.

▷ Ein Kind malt mit einem dicken Stift den Umriss des am Boden liegenden Partners auf das Papier. Danach betrachten beide die entstandene Figur und benennen die „Körperteile": „Da ist der Kopf. Da ist die Schulter …" Die Kinder legen ihre Gymnastiksäckchen auf verschiedene Bereiche des aufgemalten Körpers und benennen die betreffenden Körperteile.

▷ Auch vom zweiten Kind wird ein solches Abbild hergestellt. Die beiden Kinder betrachten einander genau und vervollständigen das Abbild des Partners. Sie malen Haare, Augen, Mund, Fingernägel usw. an die richtige Stelle. Sie malen Knöpfe, Hosentaschen, Socken, Brille … Am Schluss betrachten sie die Bilder gemeinsam und erklären die Unterschiede zwischen den beiden Porträts.

▷ Die Bilder können als für die Kinder wichtige „Galerie" an die Wand gehängt werden und erinnern längere Zeit an das Thema. Wenn nicht genug Wandfläche vorhanden ist, lassen sich die Originale durch Fotos ersetzen.

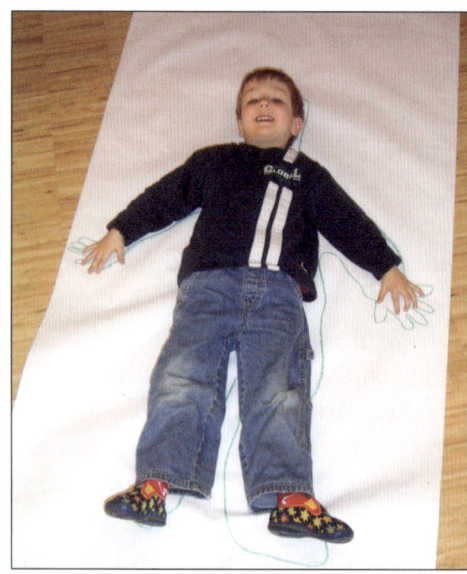
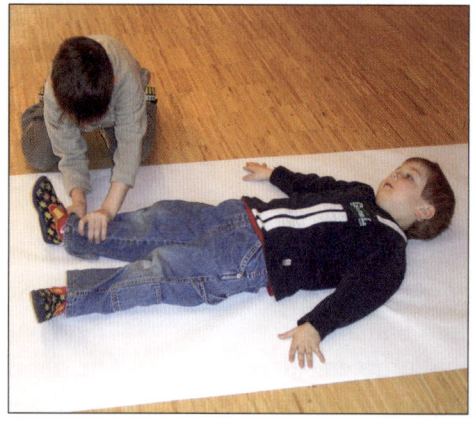
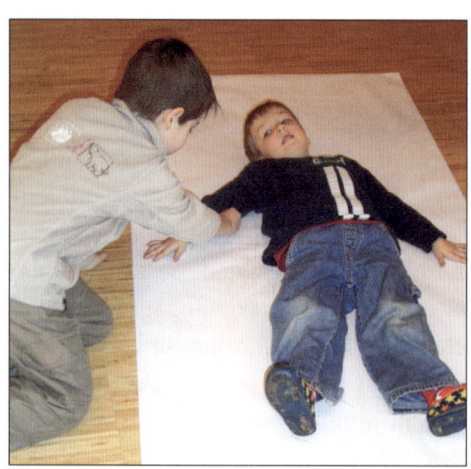
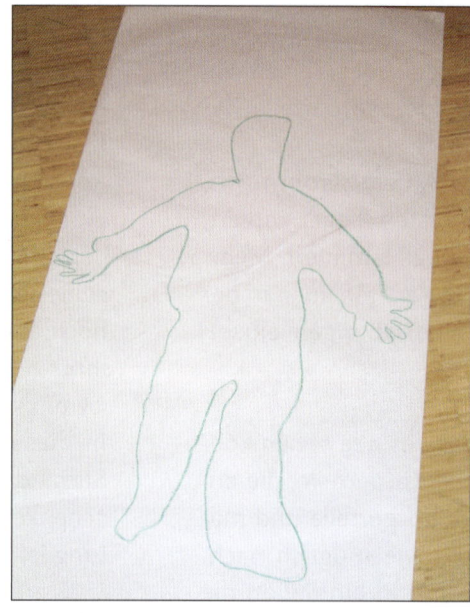

Körperumrisse aufmalen

Übung zum Bewusstmachen der Hände und Finger

Gruppenübungen:

▷ Die Kinder sitzen oder stehen im Kreis und beobachten ihre Hände und Finger.

▷ Sie benennen ihre Finger und bewegen sie einzeln.

▷ Alle Kinder zeigen gemeinsam die einzelnen Finger der rechten Hand / der linken Hand: „Das ist der Daumen / der Zeigefinger / der Mittelfinger / der kleine Finger …"

▷ Die Kinder beschäftigen sich mit beiden Händen. Die Zeigefinger der beiden Hände begrüßen sich / verneigen sich / strecken sich / machen gleiche Bewegungen. Das Spiel wird mit den anderen Fingern wiederholt. Was kann ich mit einem einzelnen Finger / mit allen Fingern machen? Welche Finger lassen sich gut, welche schlecht bewegen?

▷ Die einzelnen Finger der beiden Hände berühren sich. Was spüre ich dabei?

▷ Die Handflächen berühren sich. Wie fühlt sich das an? Ist es angenehm oder unangenehm?

▷ Die Kinder spielen mit den Händen. Sie klatschen / machen eine Faust / winken mit den Händen …

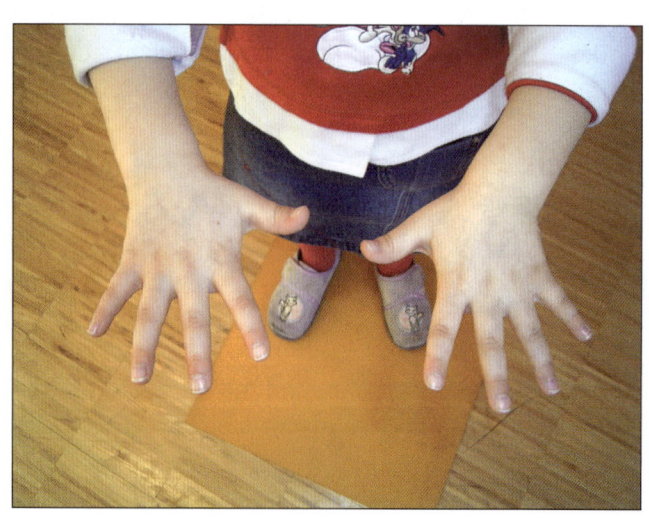

Partnerübungen:

Nehmen Sie aktiv an der Übung teil, wenn die Gruppe eine ungerade Anzahl Kinder hat.

▷ Die Kinder treffen sich paarweise und beschäftigen sich gemeinsam mit Fingern und Händen, indem sie ähnliche Übungen durchführen wie oben beschrieben.

▷ Die Kinder knien auf dem Boden. Eines legt seine Hände auf ein Blatt Papier, das andere malt die Umrisse der Hand mit allen einzelnen Fingern nach. Dann malt das zweite Kind die Handumrisse seines Partners nach.

▷ Die Fingernägel der Papierhände können eingezeichnet und bemalt werden, die einzeln Teile der Hand werden benannt.

▷ Alle Bilder werden gemischt und wieder ausgelegt. Jedes Kind versucht, sein „Handbild" durch Auflegen der Hand auf die Kontur wiederzufinden. Die Kontrolle erfolgt durch den Namen oder ein Zeichen, das vor dem Einsammeln auf der Rückseite angebracht wurde.

▷ Hängen Sie die Bilder in den nächsten Wochen in wechselnder Reihenfolge im Rhythmikraum auf. Sie sind den Kindern immer wieder Anregung, die Bilder ihrer eigenen Hände zu suchen.

Übung zum Bewusstmachen der Bewegung von Zehen und Füssen

Grundlage dieser Lektion ist eine kleine Geschichte, bei der die Platzmatten Grundstücke oder Gärten darstellen. Auf jedem Grundstück oder in jedem Garten wohnt jeweils ein Kind.

▷ Im Raum liegen großzügig verteilt Platzmatten, z. B. quadratische Gummimatten, ca. 60 x 60 cm groß, in den Farben Rot, Grün, Gelb und Blau. Wichtig ist, dass die Matten ganz sicher auf dem Boden liegen, gut haften und deshalb nicht rutschen können. Die Matten sollten so weit auseinanderliegen, dass sich jedes Kind neben seine Matte setzen kann, ohne einem anderem Kind in die Quere zu kommen. Die Kinder gehen barfuß oder mit Gymnastiksocken (Stoppern) durch den Raum, von einer Matte zur anderen, und suchen sich ein „Grundstück" aus, das ihnen dann während der ganzen Lektion gehört. Sie stellen sich darauf und bewegen sich ganz vorsichtig auf ihrem „Grundstück", z. B. auf den Zehenspitzen / auf den Fersen / mit dem ganzen Fuß / auf den Außenkanten der Füße ... Dabei dürfen sie aber weder ihr „Grundstück" verlassen noch die „Grundstücksgrenze" übertreten.

▷ Jedes Kind darf nun auf seinem „Grundstück" ein Haus bauen. Legen Sie dafür neben jedes „Grundstück" Baumaterial wie Holzklötzchen, Vierkanthölzchen, Bierteller u. Ä. Die Kinder setzen sich neben ihr „Grundstück" und versuchen, nur mit den Zehen und Füßen das Material auf das „Grundstück" zu bringen und ein Haus zu bauen. Die Hände dürfen nicht verwendet werden. Fantasie und Kreativität sind gefordert. Durch weitere Bestimmungen können Sie die Schwierigkeit der Aufgabe steigern, z. B. „Baut so, dass man auf dem ‚Grundstück' um das Haus herumlaufen kann."

„Grundstück" mit Bauwerk

▷ Alle Kinder gehen von einem „Grundstück" zum anderen und betrachten die Häuser. Sie gehen schnell / langsam / leise ... Sie kommen wieder zu ihrem „Grundstück" zurück und betrachten ihr eigenes Haus. Sie gehen auf dem „Grundstück" um ihr Haus herum. Sie gehen auf den Zehenspitzen, ohne an das Haus zu stoßen oder über die Grenze des „Grundstücks" hinauszugeraten.

▷ Die Kinder besuchen sich gegenseitig auf ihren „Grundstücken" und versuchen, zu zweit darauf zu spazieren. Dabei geht es um äußerste Sorgfalt und Konzentration, damit das Haus nicht einstürzt. Noch anspruchsvoller ist der Spaziergang auf den Zehenspitzen.

- Spielen Sie zur Einweihung des neuen Hauses Musik ab Tonträger ein, nach der sich die Kinder auf der Einweihungsparty bewegen, allein oder zu zweit.
- Zum Abschluss dieser Rhythmikeinheit stehen die Kinder wieder im Kreis um die „Grundstücke" und Häuser herum, betrachten sie und sprechen darüber. Erinnern Sie die Kinder nochmals daran, dass die ganzen Bauwerke nur mit Hilfe der Füße und Zehen entstanden sind. Ermuntern Sie die Kinder, immer wieder zu versuchen, mit ihren Zehen etwas zu machen – zu greifen, zu malen, zu winken …

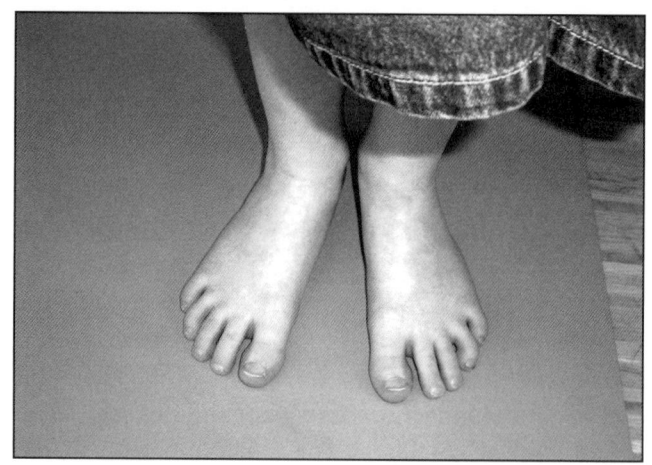

Aufgaben für die Lehrkraft

- Machen Sie sich bewusst, wie Ihre eigenen Körperteile funktionieren und wie sie sich einsetzen und bewegen lassen. Benutzen Sie Ihre Beine nur noch zum Gehen oder Stehen? Was können Sie damit sonst noch machen? Können Sie Ihren Bauch, Ihre Schultern, Ihre Knie über den normalen täglichen Gebrauch hinaus bewegen? Sind Sie flexibel und wendig im Umgang mit Ihren Fingern? Können Sie die Zehen locker bewegen, mit ihnen etwas hochheben, etwas greifen oder gar mit den Zehen malen oder ein Blatt Papier falten?
- Denken Sie daran, dass der Wille und die Motivation der Kinder gesteigert werden, wenn eine Übung von Ihnen vorgemacht wird. Probieren Sie deshalb im Vorfeld dieser Einheit alles aus, was Sie von den Kindern verlangen wollen. Dabei erkennen Sie auch etwaige Schwierigkeiten oder Probleme und können diesen entgegenwirken.

MUNDMOTORIK

Übungen wie die hier vorgeschlagenen werden auch in der Logopädietherapie durchgeführt, da die richtige Artikulation weitgehend von einer gut funktionierenden Mundmotorik abhängt.
Wenn die Kinder für diese Lektion einen Handspiegel von zu Hause mitbringen, mit dem sie ihre Mundbewegungen kontrollieren können, sind Motivation und Spaß noch größer.

- Die Kinder bewegen locker den Unterkiefer. Sie lassen ihn soweit wie möglich fallen. Sie spielen „Nussknacker". Sie schieben den Unterkiefer nach rechts und links zur Seite.

- Steuern Sie die Bewegung des Unterkiefers, z. B. mit dem rhythmisch gesprochenen Satz: „Lass-den-Un-ter-kie-fer-fal-len." Beim Wort „fallen" klappt der Unterkiefer ganz locker herunter.

- Die Kinder strecken ihre Zunge durch den weit geöffneten Mund. Sie spazieren mit der Zungenspitze entlang den Lippen / den oberen Zähnen / den unteren Zähnen.

- Die Kinder versuchen, mit der Zunge die Wangen zu durchbohren, auf der rechten Seite / auf der linken Seite / im Wechsel.

- Sie versuchen, mit der Zungenspitze die Nasenspitze zu erreichen.

- Zeigen Sie mundmotorische Übungen vor, die Kinder machen sie nach.

- Die Kinder überlegen sich weitere Bewegungen mit Lippen und Zunge und machen sie vor, die anderen Kinder imitieren sie.

▷ Ein von Ihnen gesprochener rhythmischer Vers kann die Konzentration erhöhen und das Tempo der Mundbewegungen steuern:

Der Mund kann sich bewegen,
die Lippen tun das auch
und drinnen wohnt die Zunge,
sie kommt jetzt schnell heraus.

Wir lassen sie jetzt kreisen
und springen hin und her,
sie macht das immer besser,
es ist ja auch nicht schwer

▷ Lustige Fotos erinnern noch längere Zeit an die unterhaltsame Lektion!

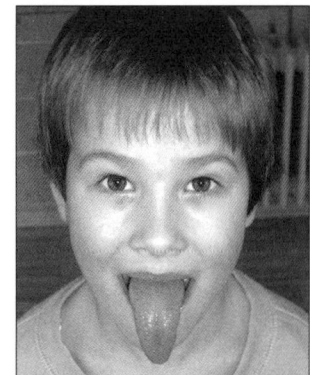
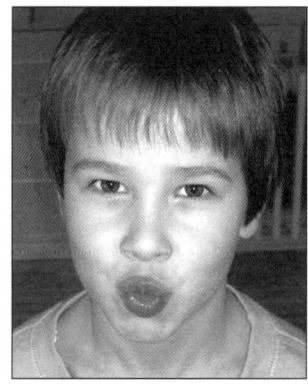
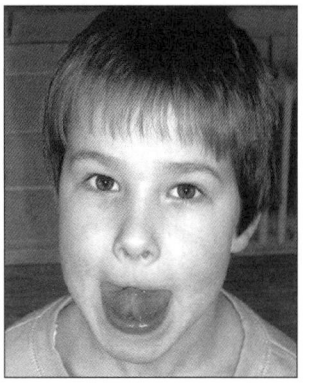
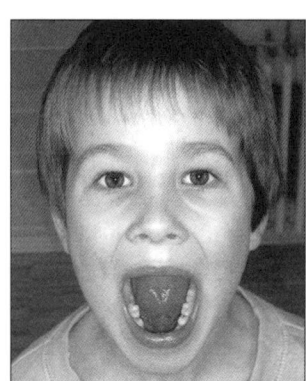

Übungen für die Mundmotorik

Übungen zur Steigerung von Geschicklichkeit und rhythmischer Sicherheit

Ziele und Lerninhalte dieser Einheit

▷ Steigern der Geschicklichkeit im Umgang mit Materialien
▷ Erlangen rhythmischer Sicherheit
▷ Fördern des Selbstvertrauens und der Selbstsicherheit
▷ Schulen von Aufmerksamkeit und Konzentration

Jedes Kind kann seine Geschicklichkeit so nutzen, wie sie im Augenblick vorhanden ist. Es wird vom Kind nichts erwartet, was es nicht leisten kann. Bei den sehr einfachen Übungsteilen kann jedes Kind im Rahmen seiner Möglichkeiten zum individuellen Ziel und zum Erfolg kommen. Es kommt nicht darauf an, wie schnell das Kind die Aufgabe erfüllt, sondern dass die Aufgabe überhaupt erfüllt wird. Nicht die *Lösung* ist das Ziel, sondern der *Weg zur Lösung*!

Geschicklichkeit und rhythmische Sicherheit steigern die Fähigkeit, sich bewusst zu bewegen. Ziel ist ein organischer, konzentrierter Ablauf von Bewegungsfolgen. Das Zurücknehmen von übermäßiger, unkontrollierter Bewegung führt zu zielgerichteter, konzentrierter Arbeit und damit zu zielgerichtetem Denken.

Das regt Assoziationsfähigkeit und Differenzierungsvermögen an und kann eine sehr gute Vorbereitung für den Schuleintritt oder eine hilfreiche Unterstützung im Schulalltag sein. Darüber hinaus führt Geschicklichkeit im Umgang mit Materialien zu gesteigertem Selbstvertrauen und erhöhter Selbstsicherheit.

Mit den vorgeschlagenen Übungen werden keine spektakulären Aufgaben gestellt, sondern es stehen elementare Abläufe im Mittelpunkt. In der Behindertenarbeit muss der Schwierigkeitsgrad der Aufgaben noch erheblich reduziert werden, damit Erfolgserlebnisse gewährleistet sind. Erfolge sind von Außenstehenden oft nicht als solche zu erkennen, weil die erbrachte Leistung auf den ersten Blick als selbstverständlich betrachtet wird.

Ein „Dach über dem Kopf" ...

ÜBUNGEN MIT ZEITUNGSPAPIER

Die Beschäftigung mit Zeitungspapier ist für Kinder immer sehr motivierend. Da Zeitungspapier vielseitig eingesetzt werden kann (akustisch, optisch, taktil, fein- und grobmotorisch), sollte es immer in genügender Menge vorhanden sein. Normalerweise wird mit den großen Seiten der üblichen Tageszeitungen gearbeitet, bei kleineren Kindern können die Seiten halbiert werden.

▷ Zeitungsseiten liegen in der Anzahl der Kinder ausgebreitet auf dem Boden. Die Kinder gehen frei durch den Raum, ohne auf ein Blatt Papier zu treten. Auf ein Signal stellt sich jedes Kind neben ein Blatt.

▷ Die Kinder nehmen das Blatt in die Hand und probieren aus, was man damit tun kann (ohne es zu zerreißen). Sie zeigen vor, was ihnen eingefallen ist, die anderen Kinder machen es nach.

▷ Die Kinder legen das Blatt auf die flache Hand des waagrecht ausgestreckten Armes. Sie bewegen den Arm, aber so, dass das Blatt nicht zu Boden fällt – das ist gar nicht so einfach; der entstehende Luftzug lässt das Blatt schnell davonfliegen! Die Kinder probieren diese Übung auch mit dem andern Arm.

Wer kann sein Blatt wieder auffangen?

▷ Das Zeitungspapier liegt auf der rechten / linken Schulter, auf dem Kopf, auf dem rechten / linken Unter- und Oberarm, auf dem rechten / linken Oberschenkel, auf dem rechten / linken Fuß. Die Kinder versuchen auch, das Papier auf den Bauch und auf den Po zu legen und sich damit zu bewegen, ohne dass es zu Boden fällt.

▷ Die Kinder legen Zeitungspapier auf den Kopf und bewegen sich damit durch den Raum. Wie muss ich gehen, damit es nicht herunterfällt?

▷ Die Kinder legen das Zeitungspapier auf Brust und Bauch und gehen durch den Raum. Sie sollen so gehen, dass auch jetzt das Papier nicht herunterfällt. Was muss ich tun, damit es gelingt? (Wenn die Kinder den Bauch etwas nach vorne strecken und schnell durch den Raum gehen, wird das Papier durch den Luftzug an Brust und Bauch gepresst. Werden die Kinder langsamer, fällt das Papier zu Boden.)

▷ Die Kinder werfen ihr Blatt in die Luft und versuchen, es so aufzufangen, dass es nicht zerreißt.

▷ Die Kinder legen mit ihren Blättern eine „Zeitungsstraße". Alle Kinder gehen vorsichtig auf dieser Straße von Blatt zu Blatt. Wie muss man gehen, damit keines zerreißt?

▷ Jedes Kind holt sich sein Blatt und darf es zerknüllen. Was ist dabei zu hören? Das Papier wird so lange geknüllt, bis ein sehr stabiler Zeitungsball entstanden ist, der für Handgeschicklichkeitsübungen benutzt werden kann.

▷ Der Zeitungsball wird hochgeworfen und aufgefangen, mit der rechten Hand / mit der linken Hand / mit beiden Händen.

▷ Die Kinder kommen im Kreis zusammen, geben einen Zeitungsball / mehrere Zeitungsbälle nach rechts / links weiter.

▷ Immer zwei Kinder, die sich gegenüber stehen, werfen einander die Bälle zu.
Zuerst wirft – jeweils auf ein Signal hin – Paar um Paar, dann werfen alle gleichzeitig. Dabei muss auf die anderen Paare Rücksicht genommen werden, damit die Bälle im Flug nicht zusammenprallen.

▷ Die Kinder werfen ihre Bälle in die Mitte. Sie betrachten und interpretieren das Bild, das sich ergeben hat. Mehrmaliges Wiederholen macht Spaß!

▷ Stellen Sie zum Abschluss dieser Lektion einen Korb oder eine Schachtel in die Mitte des Kreises. Wer trifft hinein?

> Da sich während einer Rhythmikeinheit „wertloses" Material als *wertvolles* Material erweist, sollte man es nie vor den Augen der Kinder vernichten oder in die Mülltonne werfen. Werden Zeitungen o. Ä. im Beisein der Kinder entsorgt, ist dieser Eindruck der letzte, den sie von diesem Material erhalten Damit werten wir die Rhythmikstunde und die gemeinsame Arbeit enorm ab. Wenn die Lektionen den Kindern positiv in Erinnerung bleiben sollen, muss die Entsorgung außerhalb des Blickfeldes der Kinder stattfinden.

> **Aufgabe für die Lehrkraft**
>
> Experimentieren Sie vor dieser Rhythmikeinheit selbst mit Zeitungspapier. Sammeln Sie Erfahrungen, damit Sie wissen, was möglich ist und wie die Übungen durchgeführt werden müssen. Zwar macht es nichts aus, wenn die Kinder erkennen, dass auch Ihnen nicht immer alles gelingt, Sie sollten jedoch immer Vorbildfunktion behalten.

Übungen mit dem Reifen

▷ Jedes Kind erhält einen Reifen und probiert aus, was man damit machen kann: hochheben / hindurchschlüpfen / senkrecht auf den Boden stellen und kreiseln lassen / auf den Boden legen und rundumgehen / hinein- und hinaushüpfen ...

▷ Die Kinder halten den Reifen in einer Hand / mit beiden Händen / mit einem Finger / mit mehreren Fingern ...

▷ Sie schwingen den Reifen mit der rechten / linken Hand.

Balancieren auf dem Reifen

▷ Sie lassen den Reifen kreiseln und beobachten ihn, bis er zur Ruhe kommt. Wie hört sich das an?

▷ Die Reifen liegen auf dem Boden. Die Kinder balancieren auf dem Reifen mit gestreckten Armen, gehen innen / außen am Reifen, auf Zehenspitzen / mit dem ganzen Fuß / mit einem Fuß innen und mit dem andern außen / laut / leise.

▷ Die Kinder sitzen im Reifen und tasten ihn mit der linken Hand / mit der rechten Hand / mit beiden Händen ab.

▷ Die Kinder legen ihre Reifen als „Reifenstraße" im Raum aus. Sie gehen auf dieser Straße der Reihe nach von Reifen zu Reifen, ohne danebenzutreten.

▷ Die Kinder gehen auf der „Reifenstraße" von einem Reifen zum anderen, drehen sich in jedem / in jedem zweiten Reifen einmal um die eigene Achse und gehen dann weiter. Geben Sie mit der Handtrommel Startzeichen, damit die Abstände zwischen den einzelnen Kindern groß genug sind.

▷ Jeweils zwei Kinder gehen gemeinsam auf der „Reifenstraße" und drehen sich einmal in jedem Reifen, ohne danebenzutreten. Bei größeren Reifen lässt sich dies auch mit drei Kindern durchführen.

ÜBUNGEN MIT JAPANISCHEN PAPIERBÄLLEN

Japanische Papierbälle eignen sich besonders gut, um Feinmotorik und Sensibilität anzuregen. Bei unkontrollierter Verwendung oder schlechter Bewegungskoordination werden sie sehr schnell zerbeult, aber nicht zerstört. Sie werden dann einfach wieder aufgeblasen und können deshalb längere Zeit verwendet werden.

▷ Jedes Kind erhält einen Papierball und trägt ihn vorsichtig mit einer Hand / mit beiden Händen durch den Raum.

▷ Der Ball rollt von einer Hand in die andere, ohne auf den Boden zu fallen.

▷ Die Kinder werfen den Papierball vorsichtig mit einer Hand / mit beiden Händen in die Höhe und fangen in sehr vorsichtig mit einer Hand / mit beiden Händen wieder auf.
Wie hört sich das Geräusch an? Wann ist es laut, wann leise?

Konzentration

Übungen mit Holzwürfeln

Gruppenübungen:

▷ Die Kinder stehen verteilt im Raum. Jedes Kind hat vier gleich große Holzwürfel in den Farben Rot, Grün, Gelb und Blau vor sich auf dem Boden liegen. Die Kinder betrachten die Würfel, nehmen sie in die rechte / linke Hand, geben sie von einer Hand in die andere, balancieren sie auf der Handinnenfläche / auf dem Handrücken ...

▷ Die Kinder nehmen einen Würfel in die rechte / linke Hand, tragen ihn auf der flachen Hand langsam / schnell durch den Raum und kehren nach einiger Zeit wieder zu ihrem Ausgangspunkt zurück.

▷ Sie legen die Holzwürfel auf verschiedene Art und Weise aneinander, z.B. in einer Reihe hintereinander / mit vorgegebener Farbreihenfolge / 2-mal 2 Würfel nebeneinander / Ecke an Ecke ...

▷ A13 A14 Bereiten Sie große farbige Vorlagen vor, die Kinder bauen sie mit den Würfeln nach (Vorschläge siehe Arbeitsblätter A13 und A14).

▷ Die Kinder balancieren den Ball mit zwei Fingern / drei Fingern ...

▷ Die Kinder tippen den Papierball im Rhythmus eines Verses oder Liedes mit den Fingern in die Höhe. Partnerübung: Die Kinder stehen sich paarweise gegenüber und tippen einander den Papierball zu. Nach einiger Zeit erfolgt das Hin- und Herspielen im Rhythmus eines Verses oder Liedes.

▷ Partnerübung: Die Kinder liegen paarweise auf dem Bauch am Boden und blasen sich gegenseitig den Papierball zu – vorsichtig / hektisch / schnell / langsam ...

▷ Zum Abschluss werfen die Kinder ihre Bälle in einen am Boden liegenden Reifen, ohne dass sie darüber hinausrollen.

▷ Gemeinsam betrachten die Kinder das entstandene Bild und interpretieren es (Blume, Osternest ...)

Mit japanischen Papierbällen lassen sich viele der Übungen durchführen, die bei der Arbeit mit Luftballonen vorgeschlagen werden (siehe Seite 37).

Wer baut den höchsten Turm

▷ A13 A14 Die Kinder erhalten das Arbeitsblatt 13 oder 14 und legen die vorgegebenen Muster nach. Für Muster, die mehr als vier Würfel benötigen, bilden die Kinder Gruppen oder erhalten eine größere Anzahl Würfel.
(Kinder, die lesen können, arbeiten mit einer unbearbeiteten Kopie des Blattes, für die anderen färben Sie die Würfelmuster entsprechend ein.)

▷ Die Kinder stellen die Würfel aufeinander. Erst nur zwei Würfel – ganz exakt Kante auf Kante – dann kommen nacheinander die beiden anderen Würfel dazu.

▷ Gleiche Übung wie vorher, die Kinder legen die Würfel jedoch abwechselnd mit der rechten / linken Hand aufeinander.

▷ Die Kinder bauen Türme. Geben Sie mit einer Holzblocktrommel (auch sie ist aus Holz und viereckig!) und einem kleinen Holzschlägel Signale. Bei jedem Signal wird der Turm um einen Würfel höher, dann wird der Turm auf die gleiche Weise wieder abgebaut, mit der rechten Hand / mit der linken Hand / mit beiden Händen.
Variante: Reihum dürfen einzelne Kinder die Signale für den Turmbau geben.

▷ Die Kinder schließen die Augen und versuchen, zwei Würfel exakt aufeinander zu legen. Ist dies gelungen, können Türme mit drei / vier Würfeln „blind" gebaut werden. Je nach Fähigkeit der Kinder werden die Türme einhändig / mit wechselnden Händen gebaut.
(Motorisch eingeschränkte oder behinderte Kindern können bei dieser Aufgabe Schwierigkeiten haben. Verfolgen Sie aufmerksam alle Vorgänge und vereinfachen Sie gegebenenfalls die Aufgabenstellung. Jedes Kind soll zu einem Erfolgserlebnis kommen!)

▷ Die Kinder bauen ihren Turm in der Farbreihenfolge, die Sie vorgeben (mit verbalen Anweisungen oder durch Signale mit farbigen Rhythmikmaterialien). Die Kinder verwenden dabei wieder im Wechsel die rechte und die linke Hand.

▷ Spielen Sie mit der Flöte, dem Xylofon o. Ä. eine Melodie. Die Kinder verwenden einen Holzwürfel als Rhythmusinstrument und klopfen damit den Takt auf den Boden.
Variante: Die Kinder spielen gleichzeitig / abwechselnd mit zwei Händen und zwei Würfeln.

Partnerübungen:

▷ Ein Kind legt eine Würfelreihe, das andere legt sie nach.

▷ Ein Kind baut einen Turm, das andere baut ihn nach.

▷ Die Kinder konstruieren gemeinsam verschiedene Bauwerke.

▷ Sie versuchen, zu zweit einen möglichst hohen Turm zu bauen.

▷ Zwei Kinder erfinden mit ihren acht Würfeln gemeinsam ein Muster.

▷ Sie legen die Muster auf Arbeitsblatt 2 nach.

▷ Die Kinder stehen Rücken an Rücken. Ein Holzwürfel wandert im Wechsel zwischen den Beinen durch, über die Köpfe, wieder zwischen den Beinen durch .... Auf ein Signal hin wird die Richtung gewechselt.
Variante: Geben Sie den Rhythmus mit der Handtrommel vor, die Kinder bewegen sich im Takt.

Partnerübung mit Holzwürfel

PARTNERÜBUNGEN MIT REIFEN UND HOLZWÜRFELN

Bei diesen Übungen kommt zu den Anforderungen an die eigene Geschicklichkeit und die rhythmische Sicherheit noch die Konzentration auf den Partner hinzu. Das Kind muss sich auf seinen Partner einstellen, auf ihn reagieren und trotzdem versuchen, die eigene Aufgabe richtig durchzuführen. Ziel dieser Übungen ist die Erkenntnis, dass eine Übung nur gelingen kann, wenn man aufeinander achtet.

Reifen aus Kunststoff sind für diese Übungen nicht zu empfehlen, da sie in der Regel zu schmal und gerillt sind. Holzreifen sind breiter und eignen sich deshalb sehr gut, um Material darauf zu legen. Die Wüfel sollten aus Holz sein, da sie sehr stabil liegen.

▷ Jedes Kinderpaar erhält einen Holzreifen. Gemeinsam tragen die Kinder den Reifen durch den Raum (wie ein mit Wasser gefülltes Becken, das nicht kippen darf). Sie tragen den Reifen langsam / schnell durch den Raum. Sie halten ihn mit allen Fingern / nur mit Daumen und Zeigefingern fest; er wird nur auf Zeige- und Mittelfingern / auf drei Fingern / auf je einem Finger balanciert.

▷ Jedes Kinderpaar sucht sich einen Platz im Raum und hält seinen Reifen waagrecht. Gehen Sie von Paar zu Paar und legen Sie einen Holzwürfel auf den Reifen. Die Kinder halten ihn im Gleichgewicht, sodass der Würfel nicht herunterfällt.

▷ Die Kinder gehen langsam und ruhig vorwärts / rückwärts / seitwärts durch den Raum, ohne dass der Würfel zu Boden fällt und ohne ein anderes Paar zu berühren. Wer behält den Würfel am längsten auf dem Reifen?

▷ Legen Sie auf jeden Reifen einen zweiten Würfel, und zwar genau gegenüber dem ersten

Schaffen wirs ...

... oder ...

... schaffen wirs nicht?

Würfel, damit das Gleichgewicht leichter zu halten ist. Jetzt müssen sich die Kinder zur gleichen Zeit auf den Reifen und *zwei* Würfel konzentrieren. Ganz vorsichtig gehen sie durch den Raum und achten auf die anderen Paare, damit es nicht zu Zusammenstößen kommt.

▷ Die Kinder versuchen, den Reifen mit den beiden Holzwürfeln auf den Boden zu legen. Die Würfel sollen auch bei dieser Übung nicht vom Reifen fallen.

Varianten für ältere oder besonders geschickte Kinder:

▷ Die Paare tragen auf ihren Reifen drei oder vier Würfel. Sie gehen damit durch den Raum / legen den Reifen auf dem Boden ab / heben ihn wieder auf ...

▷ Die Kinder knien sich / setzen sich mit ihrem Reifen auf den Boden, ohne dass die Würfel herunterfallen.

▷ Zum Abschluss der Lektion versuchen die Kinder, ihre Reifen mit den daraufliegenden vier Holzwürfeln der Reihe nach aufeinanderzustapeln, sodass ein Turm aus Reifen und Holzwürfeln entsteht.

Aufgaben für die Lehrkraft

▷ Experimentieren Sie im Vorfeld selbst mit Materialien und versuchen Sie, Beschäftigungsmöglichkeiten zu finden.
▷ Testen Sie die Aufgabenstellungen vor der geplanten Lektion, um etwaige Schwierigkeiten bei der Durchführung richtig abschätzen zu können und so eine Überforderung der Kinder auszuschließen.

Entwickeln von einfachen Tanzformen und Kindertänzen

Ziele und Lerninhalte dieser Einheit

▷ Situationsorientieres Entwickeln eines Tanzes
▷ Födern der Bewegungskoordination
▷ Anregen der Fantasie

Mit einem „Bewegungskanon" lässt sich schnell aus einer Situation heraus ein Tanz erfinden, der spontan auch von den Kinder mitentwickelt werden kann (siehe Seite 65).

Kindertänze verbinden die Bewegungsfähigkeit mit der körperlichen Geschicklichkeit. In Verbindung mit musikalischen Elementen kommt es zu einem Gesamterlebnis mit Bewegung, Rhythmik, musikalischem Rhythmus, Koordination und Gestalten. Fantasie, Reaktion, Hören und Sehen sind wichtige Elemente dieser Arbeit.

Lassen Sie die Kinder mit einfachsten Bewegungsformen einen Tanz gestalten. Ein improvisierter Kindertanz kann die Ziele der Rhythmik oft besser verfolgen als ein gesteuerter Tanz mit schwierigeren, vorgeschriebenen Schritten, die längeres Üben und Trainieren voraussetzen. Ein improvisierter „Bewegungskanon" z. B. ist eine ideale Möglichkeit, einen Tanz angepasst an die Leistungsfähigkeit der Kinder zu realisieren. Der „Bewegungskanon" hat einen ähnlichen Ablauf wie ein Liedkanon. Er besteht aus beliebigen Bewegungsabläufen, die zwar von allen Kindern gleich, aber zu verschiedenen Zeiten ausgeführt werden.

„Bewegungskanon" als Kindertanz, ohne Partner

▷ Die Kinder gehen durch den Raum und erarbeiten elementare Bewegungsabläufe entsprechend Ihren Anweisungen: schnell / langsam / vorwärts- / rückwärtsgehen, stehen bleiben, sich nach rechts / links drehen, mit den Füßen stampfen, mit den Händen klatschen ...

▷ Die Kinder zählen den Takt mit (1-2-3-4), z. B. vier Schritte vorwärts, viermal auf den Boden stampfen, vier Schritte zurück, viermal in die Hände klatschen ...
(Ideal sind vier Wiederholungen, weil uns der Viertakt im Allgemeinen am besten vertraut ist.)

▷ Je nach Alter und Fähigkeit wiederholen die Kinder den erarbeiteten Bewegungsablauf so lange, bis er sitzt. Dann stellen sie sich im Kreis auf. Es wird reihum abgezählt: Eins – Zwei – Eins – Zwei ... Alle „Einer" erhalten ein rotes, alle „Zweier" ein blaues Band oder Tuch umgebunden. (Wenn die Gruppe eine ungerade Anzahl Kinder hat, ersetzen Sie selbst das fehlende Kind!)

Die Kinder mit dem roten Band beginnen den Bewegungsablauf mit Vorwärtsgehen zur Kreismitte (1-2-3-4) und anschließendem Stampfen (1-2-3-4). Wenn die „Roten" mit dem Rückwärtsgehen und dem anschließenden Klatschen beginnen, fangen die „Blauen" mit Vorwärtsgehen und Stampfen an (1-2-3-4-1-2-3-4). So entsteht ein ständiger Richtungs- und Bewegungswechsel zwischen den beiden Gruppen und damit ein dynamischer Bewegungsablauf, der bereits ein vollwertiger, aber einfacher Kindertanz ist – ein „zweistimmiger Bewegungskanon".

Variante: Die Kinder bilden vier Gruppen (rot, blau, gelb, grün) und setzen nur um einen Takt versetzt ein. Die zweite Gruppe geht also bereits vorwärts, während die erste Gruppe stampft usw. So entsteht ein „vierstimmiger Bewegungskanon".

▷ Spielen Sie mit der Handtrommel, der Blockflöte oder einem anderen Melodieinstrument eine Melodie im 4/4-Takt, zu der die Kinder nun den geüb-

Kinderkreistanz

ten Bewegungsablauf so oft wiederholen, bis die Melodie zu Ende ist. Als Begleitmusik kann auch eine „Tanzmusik" im 4/4-Takt ab Tonträger verwendet werden.

„Bewegungskanon" als Kindertanz, mit Partner

Der folgende Paartanz kann entsprechend der Leistungsfähigkeit der Kinder beliebig vereinfacht und nach Bedarf abgewandelt werden.

▷ Die Kinder stehen zu zweit nebeneinander im Kreis und halten sich an den Händen. Paarweise gehen die Kinder 4 Schritte vorwärts zur Mitte, dann mit 4 Schritten zurück auf die Kreisbahn.

▷ Sie hängen sich mit dem rechten Arm ein und drehen sich gemeinsam mit 4 Schritten im Uhrzeigersinn, dann wechseln sie den Arm und drehen sich mit 4 Schritten gegen den Uhrzeigersinn.

▷ Diese vier Bewegungsfolgen werden kombiniert zu einer Schrittfolge von 4 x 4 Schritten.

▷ Wenn die beschriebene Schrittfolge sitzt, kann sie als „Bewegungskanon" getanzt werden:
Paar 1 beginnt mit Schritten zur Kreismitte, nach vier Schritten beginnt Paar 2 mit Schritten zur Kreismitte, während Paar 1 rückwärts zurück auf die Kreisbahn geht usw.

▷ Sobald die Schritte sicher sitzen, kann nach Musik ab Tonträger oder nach einer von Ihnen gespielten Melodie getanzt werden.

Aufgaben für die Lehrkraft

▷ Üben Sie immer wieder kombinierte Bewegungen nach Musik „im stillen Kämmerlein".
Versuchen Sie, im Tempo nach Musik zu gehen, sich am Platz zu drehen usw. Niemand erwartet von Ihnen, dass Sie sich tänzerisch perfekt bewegen. Bei guter Vorbereitung erkennen Sie im Voraus mögliche Schwierigkeiten und kommen nicht in die Versuchung, von Ihrer Gruppe etwas zu fordern, was Sie selbst nicht erfüllen können.

▷ Versuchen Sie, selbst einfache Kindertänze und Bewegungskanons zu entwickeln.
Beginnen Sie mit genau vorbereiteten kleinen Tänzen, wenn Sie sich noch nicht sicher genug fühlen, spontan mit den Kindern zu tanzen. Bald werden Sie genügend Übung haben, um sich innerhalb einer Rhythmikeinheit von der Situation leiten zu lassen.

Entwickeln von Tanzformen aus einfachen Liedern

> **Ziele und Lerninhalte dieser Einheit**
>
> ▷ Themenbezogenes Entwickeln eines Tanzes
> ▷ Födern der Bewegungskoordination
> ▷ Anregen der Fantasie
>
> Die Bewegungen werden aus dem Text des Liedes abgeleitet. Je nach Alter und Leistungsfähigkeit der Kinder können die Schritte und Figuren vereinfacht oder etwas anspruchsvoller gestaltet werden. Bewegungen nur auf der Kreisbahn können genauso effektiv und sinnvoll sein wie die Bewegung im Raum mit verschiedenen komplizierteren Formen.

Einfache Lieder, Tanzlieder und Spiellieder eignen sich in der Regel sehr gut als Grundlage für Kindertänze, bei denen die eigene Fantasie eine Rolle spielen kann. Solche Tänze richten sich nicht nach vorgeschriebenen Schritten, die lange eingeübt werden müssen, sondern nach selbst entwickelten Ideen, bei denen nach Möglichkeit auch die Kinder mit einbezogen werden.
Am besten geeignet sind Lieder, deren Text bereits auf Bewegungsabläufe hinweist.

Einfache Tanzform, entwickelt aus einem einfachem Lied: „Kleines Blättchen in der Hand"

Das Lied passt in den Herbst, mit verändertem Text lässt es sich aber auch für andere Gelegenheiten verwenden. Es gibt hier kaum etwas zu erklären, die Kinder können spontan mitmachen.

▷ Herbstblätter liegen verteilt auf dem Boden. Die Kinder gehen durch den Raum, zwischen den Blättern, ohne daraufzutreten. Sie gehen vorsichtig, damit die Blätter nicht durcheinanderwirbeln. (Wählen Sie große Blätter, die ein gewisses Gewicht haben und beim nachstehend beschriebenen Tanz auf den Händen der Kinder eher liegen bleiben.)

▷ Jedes Kind stellt sich zu einem Blatt und nimmt es in die Hand. Das Blatt wird beschrieben. Ist es groß / klein / glatt / rau / hat es Zacken ...?

▷ Die Kinder legen das Blatt auf die flache Hand und gehen damit vorsichtig durch den Raum.

- Sprechen Sie dazu den Liedtext: „Kleines Blättchen in der Hand, ich zeige dir die Welt. Ich dreh mich jetzt mal rundherum und schau, ob's dir gefällt."
(Der Text kann nach Bedarf verändert werden: „Kleine Feder ...", „Kleine Blume ...". Wenn Sie bunte Papierblättchen verwenden, die ganzjährig zur Verfügung stehen, brauchen Sie den Text nicht zu verändern.)

- Sprechen Sie den Liedtext, während die Kinder mit dem Blatt auf der Hand im Takt durch den Raum gehen. Bei der Textstelle „ich dreh mich jetzt mal rundherum" drehen sich die Kinder im Uhrzeigersinn und achten darauf, dass das Blatt nicht zu Boden fällt.

- Die Kinder treffen sich im Kreis und wiederholen den Ablauf mehrmals. Während Sie den Text sprechen oder singen, gehen und drehen sich die Kinder nur auf der Kreisbahn. Bei dem Textteil „und schau, ob's dir gefällt" werfen die Kinder das Blatt in die Höhe und fangen es wieder auf.
(Übung macht den Meister! Erfahrungsgemäß üben die Kinder – auch als freiwillige Hausaufgabe – so lange, bis ihnen das Auffangen gelingt.)

- Nach mehrmaligem Wiederholen lassen die Kinder ihr Blatt am Ende des Liedes auf den Boden fallen. Sie betrachten die Blätter noch einmal und dürfen ihr Blatt mit nach Hause nehmen.

Tanzform ohne oder mit Musikbegleitung, entwickelt aus einem einfachem Lied: „Tiere wollen tanzen"

Das Lied bzw. der Tanz beginnt und endet mit dem Refrain. Da er immer gleich ist, kann er auch immer gleich gestaltet werden. Die einzelnen Strophen werden dem Inhalt entsprechend in Bewegung umgesetzt. Erfinden Sie zusammen mit den Kindern weitere Strophen!

▷ *Gestaltung des Refrains:*

Die Kinder stehen im Kreis und halten sich an den Händen. Sie gehen auf der Kreisbahn 8 Schritte gegen den Uhrzeigersinn zum Textteil „Tiere wollen tanzen". Nach 8 Schritten lassen sie die Hände los und drehen sich allein 8 Schritte lang nach rechts (im Uhrzeigersinn) nach dem Textteil „rings im Kreis und hin und her". Dann fassen sie sich wieder an den Händen und gehen 8 Schritte rückwärts, zurück zum Ausgangspunkt auf der Kreisbahn („auch wir wollen tanzen"). Am Ausgangspunkt folgt wieder eine Drehung – 8 Schritte lang gegen den Uhrzeigersinn („das ist gar nicht schwer").
Der Refrain wird jeweils zweimal gesprochen oder gesungen. Der beschriebene Ablauf wiederholt sich immer beim Refrain und gibt die Möglichkeit, sich wieder auf der Kreisbahn zu orientieren.
(Wenn sich die Kinder während des Bewegens auf der Kreisbahn an den Händen halten, bleibt der Kreis besser in Form.)

▷ *Gestaltung der 1. Strophe (Elefanten):*

Die Kinder imitieren den Gang der Elefanten und bewegen sich 8 Schritte lang auf der Kreisbahn im Uhrzeigersinn („Elefanten machen Schritte") und 8 Schritte zurück zum Ausgangspunkt („große Schritte, schwere Schritte"). Dort stampfen sie 4-mal auf dem Platz und machen dann 4 Schritte zur Mitte hin („auf dem Platz und in die Mitte"), dann folgt 4-mal stampfen am Platz und 4 Schritte lang zurückgehen auf den Kreis („auf dem Platz und aus der Mitte").

Refrain und erste Strophe werden zu einem Gesamtablauf verbunden. Sprechen Sie den Text, klatschen Sie mit den Händen oder singen Sie dazu.

▷ *Gestaltung der 2. Strophe (Vögel):*

Hier werden die Bewegungen nicht zur Kreismitte, sondern nach außen hin gemachen, damit mehr Raum für die Bewegung vorhanden ist. Die Kinder breiten die Arme aus und imitieren mit den Armen das Fliegen. Sie „fliegen" 8 Schritte nach außen, „fliegen" (drehen sich) 4 Schritte lang im Uhrzeigersinn, dann 4 Schritte lang gegen den Uhrzeigersinn und „fliegen" vorwärts wieder 8 Schritte lang auf die Kreisbahn zurück. Dort wiederholen sich die Drehungen in beide Richtungen.

Die Bewegungsabläufe Refrain – 1. Strophe – Refrain – 2. Strophe – Refrain werden im Zusammenhang durchgeführt.

▷ *Gestaltung der 3. Strophe (Katzen):*

Die dritte Strophe wird erarbeitet. Hier schleichen die Kinder 8 Schritte in einer Schleife, sodass sie beim 8. Schritt wieder zurück auf der Kreisbahn sind. Sie drehen sich 4 Schritte nach rechts und 4 Schritte nach links. Danach schleichen sie 8 Schritte frei nach außen, zeigen dabei ihre Krallen und imitieren die „Kratzbewegung". Beim 8. Schritt sind sie wieder zurück auf der Kreisbahn und zeigen 4-mal der „Katze" rechts und 4-mal der „Katze" links die Krallen, indem sie im Takt die Kratzbewegung machen.

Die Bewegungsabläufe Refrain – 1. Strophe – Refrain – 2. Strophe – Refrain – 3. Strophe – Refrain werden im Zusammenhang durchgeführt.

Die „Katzen" zeigen ihre Krallen

Der Tanz kann zunächst ohne Melodie, nur mit dem Liedtext, geübt werden. Das Lied gleichzeitig zu singen und zu tanzen setzt voraus, dass sowohl die Bewegungen wie auch das Lied den Kindern gut bekannt sind. Wenn eine kleine Gruppe der Kinder als „Tanzkapelle" mit einfachen Rhythmus- oder Effektinstrumenten den Ablauf begleitet, entsteht ein komplexer vollwertiger Kindertanz, der auch an Elternveranstaltungen u. Ä. vorgeführt werden kann. Achten Sie bei der Auswahl der Instrumente darauf, dass sie passend zum Tier ausgewählt werden, z. B. Pauke für Elefant, Schellenstab für Vögel, Handtrommel für Katzen.

> **Aufgaben für die Lehrkraft**
>
> ▷ Nehmen Sie sich verschiedene Liedtexte vor und überlegen Sie sich Gestaltungsmöglichkeiten für einen rhythmischen Tanz. Zählen Sie die Takte – ein geeignetes Lied sollte immer aus 4, 8 oder 16 Takten bestehen.
> ▷ Strukturieren Sie das ausgewählte Lied. Wie können Schritte oder Drehungen eingebaut werden? Lassen Sie die Kinder mitentscheiden, welche Bewegungen sie gerne machen möchten.
> ▷ Überlegen Sie sich gemeinsam mit der Gruppe Möglichkeiten, wie der Tanz optisch ansprechend gestaltet werden könnte, mit Tiermasken, farbigen Papierhüten, Tüchern …

Einsatz von Orff-Instrumenten in der Rhythmik

Orff-Instrumente eignen sich hervorragend zur Bewegungsbegleitung. Durch ihre einfache Bauweise ist jedes Kind ohne große Mühe in der Lage, einfache Klänge zu erzeugen. In der Rhythmik können Klänge Signalfunktion übernehmen, Bewegungen steuern und Bewegungen imitieren.

Die *Handtrommel* eignet sich zur Bewegungsbegleitung im Raum. Gehen, hüpfen, schleichen, trampeln, auf Zehenspitzen gehen sind Bewegungen, die gut mit der Handtrommel angezeigt werden können. Schlagen mit der flachen Hand, Spielen mit den Fingern, Streichen mit der flachen Hand sind Spieltechniken, die sich zur Bewegungsbegleitung einsetzen lassen.

Die *Holzblocktrommel* oder die *Schlaghölzer* eignen sich, um eher feinmotorische Bewegungen, z. B. der Finger, zu steuern.

Fingerzimbeln und *Triangel* bieten sich an, um „Höhe" darzustellen. Wollen wir z. B. die Bewegung von japanischen Papierbällen oder Luftballonen gestalten, die nach oben getippt werden, sind diese beiden Instrumente sehr geeignet. Sie drücken Leichtigkeit aus und signalisieren Feinarbeit.

Stabspiele wie *Glockenspiele* oder *Xylofone* lassen das Spiel mehrerer Töne zu, sodass damit einfache, improvisierte Tonfolgen realisiert werden können – je nach Bewegung mit hohen oder tieferen Tönen. Das Streichen mit dem Schlägel auf dem Instrument (Arpeggio) kann für Drehbewegungen oder für Bewegungen von oben nach unten oder von unten nach oben eingesetzt werden. Das Spiel mit Bordunötnen (1. + 5. Ton der Tonleiter) oder mit den Tönen der Pentatonik bietet die Möglichkeit, ohne große musikalische Vorkenntnisse harmonisch sinnvoll zu arbeiten.

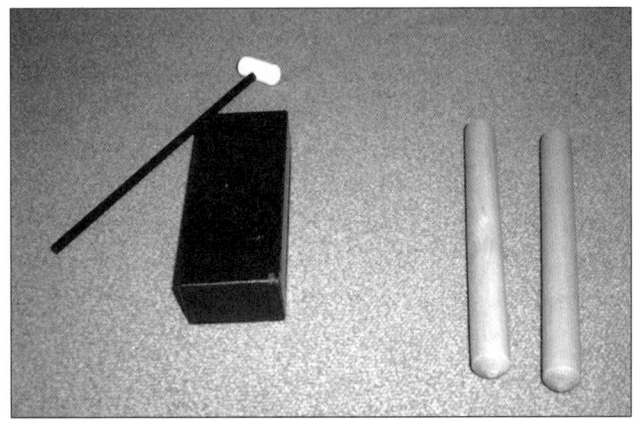

Holzblocktrommel und Schlaghölzer

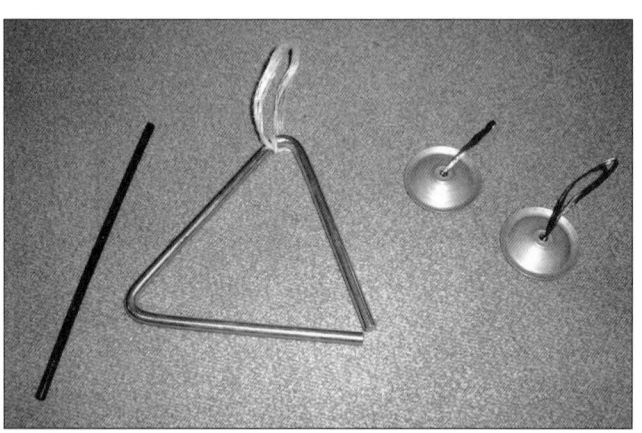

Triangel und Fingerzimbel

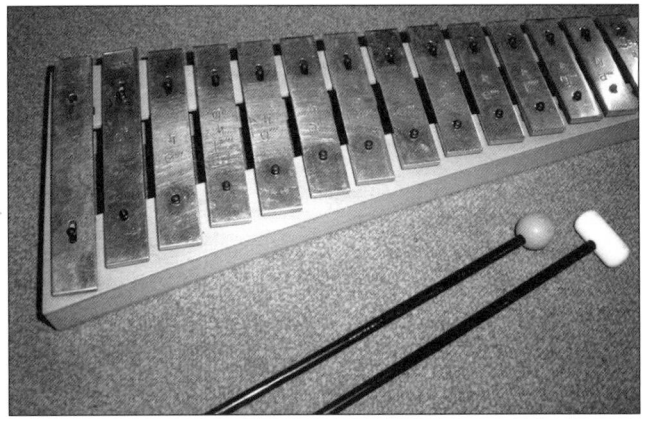
Glockenspiel

Xylofon

Borduntöne zum Begleiten von Liedern im Rhythmikunterricht

Borduntöne nennt man jeweils den ersten Ton (Tonika) und den fünften Ton (Dominante) einer Tonleiter. Es gibt sie in jeder Tonart. Diese Borduntöne eignen sich hervorragend zum Begleiten eines Liedes oder zum gemeinsamen Musizieren mit Stabspielen (Melodieinstrumenten). Bauen Sie dieses Element im Rhythmikunterricht zur Bewegungsunterstützung oder als Melodiekomponente bei der Arbeit mit Effekt- und Rhythmusinstrumenten ein!

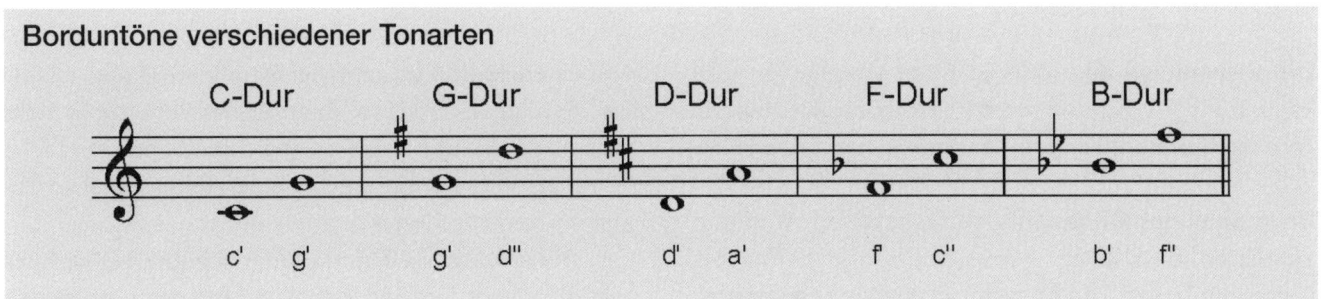

Die Borduntöne können während des Spiels in beliebigem Wechsel angespielt werden. Sie können mit einem Schlägel oder mit zwei Schlägeln hintereinander oder zusammen gespielt werden. Diese Töne werden auf die betonten Taktteile gespielt (beim Vierertakt auf die 1. und 3. Zählzeit, beim Dreiertakt auf die 1. Zählzeit usw.). Über Dirigierzeichen – Anzeigen von Schwerpunkten – können Sie das Spiel steuern.

Da es Sinn macht, diese Muster immer in gleicher Form zu wiederholen, spricht man hier von Ostinatospiel (Mehrzahl: Ostinati). Ostinati haben den Vorteil, dass das Kind sich nur eine kleine, einfache Tonfolge merken muss, die es während des gesamten Liedes oder Stückes im gleichen Tempo zu wiederholen hat. Dadurch erhält es Sicherheit im Umgang mit dem Instrument, die ihm später bei weiteren musikalischen Aktivitäten zugute kommen kann. Je nach Altersstufe und Fähigkeit können diese Bordun-Ostinati verändert, vereinfacht oder erweitert und ergänzt werden. Es ergeben sich dadurch viele Möglichkeiten auch für den Rhythmikbereich und die damit zusammenhängenden Ziele.

Pentatonik

Pentatonik nennt man das Spiel mit den Tönen einer Tonleiter ohne den 4. und den 7. Ton. Das pentatonische Tonsystem besteht also aus 5 Tönen.

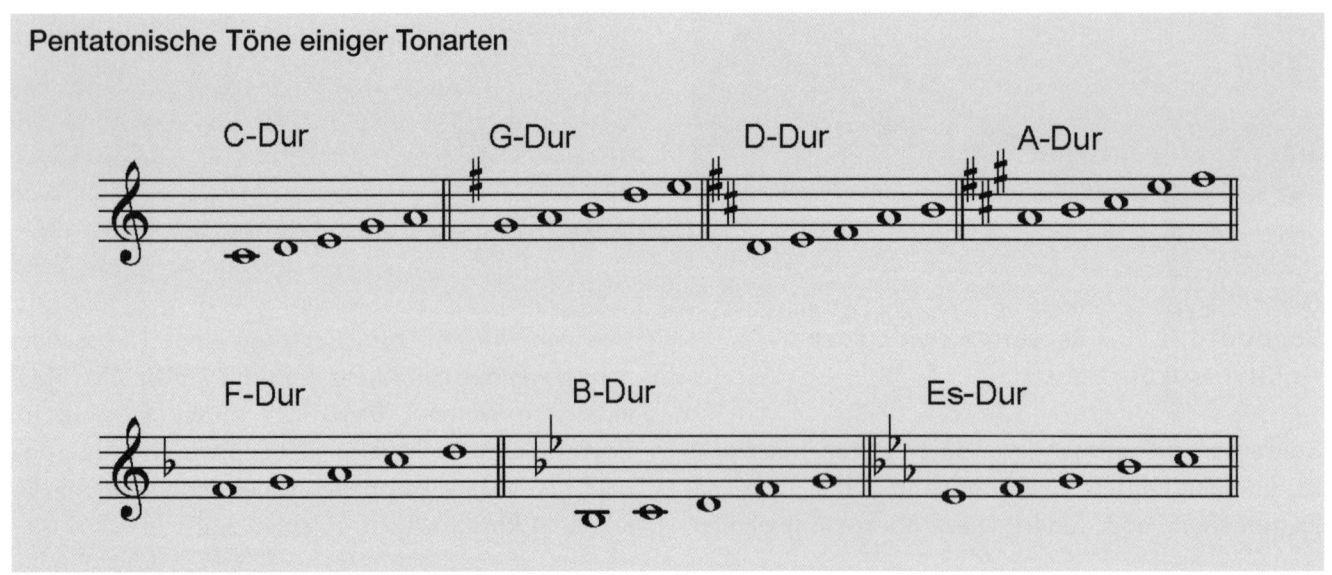

Pentatonische Töne einiger Tonarten

Die Reihenfolge der Töne ist nicht vorgegeben und kann ständig verändert werden, trotzdem werden die Tonfolgen innerhalb der Pentatonik nie ungewöhnlich, dissonant oder gar „falsch" klingen.

Beim Spiel der Kinder auf den Stabspielen ist darauf zu achten, dass Kinder genau den 4. und 7. Ton (bei C-Dur die Töne f und h) nicht anspielen. „Gesperrte" Töne können Sie markieren, mit Punkten bekleben oder umdrehen.

Ähnlich wie das Spiel mit den Borduntönen eignet sich das Spiel mit der Pentatonik sehr gut zum gemeinsamen Improvisieren und zum Begleiten von einfachen Melodien und Bewegungen. Dabei ist die Reihenfolge der Töne im Rahmen der Pentatonik nicht festgelegt. Häufig ist eine gleichbleibende einfache Tonfolge dem ständig wechselnden freien Spiel vorzuziehen, um die Konzentration der Kinder zu verstärken und durch die Wiederholung Sicherheit zu vermitteln. Beachten Sie, dass der letzte Ton des Liedes oder des Musikstückes beim pentatonischen Spiel die Tonika (1. Ton der entsprechenden Tonleiter) sein sollte. Wie die Borduntöne kann das Spiel in Pentatonik auch im Rahmen des Rhythmikunterrichts eingesetzt werden.

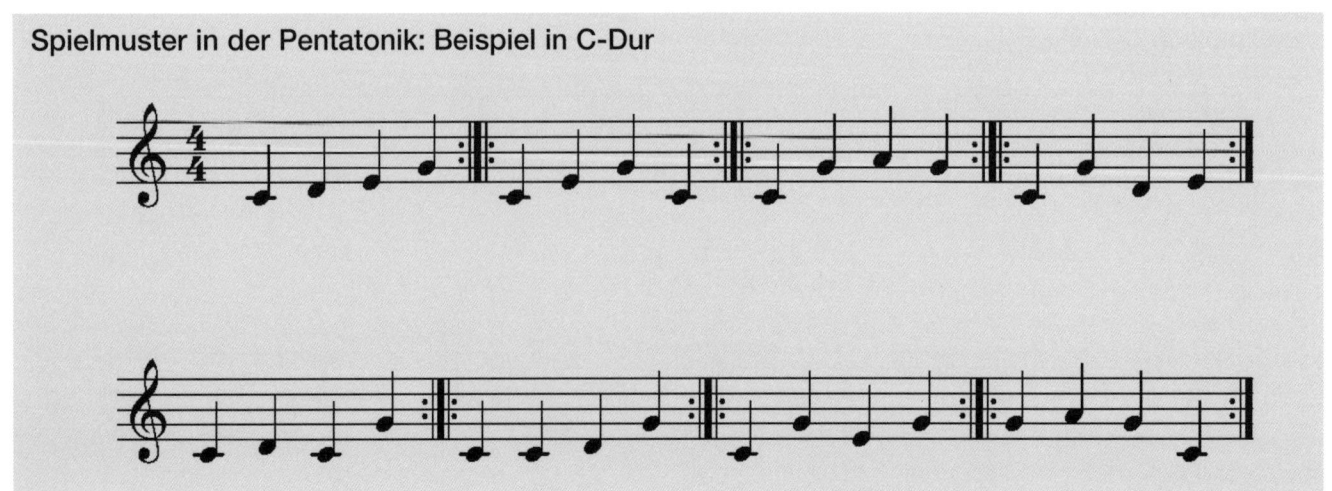

Spielmuster in der Pentatonik: Beispiel in C-Dur

Aufgaben für die Lehrkraft

▷ Lassen Sie Ihre Gruppe oder ein einzelnes Kind sich im Raum bewegen. Beobachten Sie sehr genau und versuchen Sie, die Bewegung mit Ihrem Instrument zu steuern. Prüfen Sie, ob das Kind oder die Gruppe Ihrem Spiel folgen kann. Sind Ihre Impulse angepasst, zu schnell oder zu langsam? Sind Ihre Schläge gleichmäßig, ungleichmäßig oder gar irritierend für die Kinder? Spielen Sie eindeutig?
▷ Üben Sie „im stillen Kämmerlein" bestimmte Rhythmusmuster, um Sicherheit mit dem Instrument zu bekommen.
▷ Hören Sie Musik und versuchen Sie, den Rhythmus zu erkennen und mit der Handtrommel zu begleiten.
▷ Hören Sie sich auch den Klang verschiedener Orff-Instrumente an und überlegen Sie, was sich damit imitieren lässt (z. B. Inhalte von Liedern oder Geschichten, Körperbewegungen, Stimmungen ...).
▷ Üben Sie auf den Stabspielen Treffsicherheit und Spieltechnik. Spielen Sie Muster mit den Borduntönen und den Tönen der Pentatonik.

Die Handtrommel steuert die Bewegung

Der Zirkus kommt! – Teil 1

Hörgeschichte zu Seite 25 | A1

Seit einigen Tagen ist der Zirkus Bora Bora in der Stadt. Groß und klein wartet gespannt, bis es losgeht. Am Tag der ersten Vorstellung strömen viele Menschen in das Zirkuszelt und suchen sich die besten Plätze aus.

Das Licht erlöscht und die Zirkuskapelle beginnt die Vorstellung mit einem schmissigen Musikstück. Viele Scheinwerfer strahlen jetzt und der Zirkusdirektor mit Frack und Zylinder betritt die Manege. Er begrüßt die Zuschauer und kündigt die erste Nummer an.

Zunächst kommen die Pferde. Sie traben mit aufrechtem Kopf durch die Manege, immer im Kreis herum. Auf ein Signal des Direktors drehen sich die Pferde einmal um sich selbst und gehen dann weiter. Sie drehen zur Kreismitte und machen einige Schritte vorwärts, drehen sich wieder um und gehen zurück zum Manegenrand. Jetzt lässt der Zirkusdirektor die Pferde im Kreis herumgaloppieren. Auf ein Zeichen bleiben sie stehen, neigen ihren Kopf vor den Zuschauern und traben dann elegant aus der Manege.

Plötzlich fangen alle an zu lachen. Die Clowns treten auf, mit komischen Hüten, bunten Kleidern und rot angemalten Nasen. Übermütig machen sie allerhand Späße: Sie hüpfen auf einem Bein, laufen auf allen Vieren, schneiden alle möglichen Grimassen und tanzen miteinander. Mit allerlei Instrumenten, die sie aus ihren Taschen zaubern, machen sie Musik. Dann klatscht der Zirkusdirektor in die Hände und die Clowns verlassen die Manege.

Auf einmal wird es ganz still und spannend: Die Löwen kommen. Sie schleichen auf ihren vier Pfoten langsam und geschmeidig in die Manege. Der Zirkusdirektor steht mit seiner Peitsche in der Mitte. Damit zeigt er den Löwen, was sie den Besuchern vorführen sollen. Sie legen sich auf den Boden, drehen sich auf den Rücken und strecken die Pfoten in die Höhe. Sie stehen auf, gehen langsam zur Mitte und stellen sich dort auf die Hinterbeine. Dabei strecken sie die Vordertatzen in die Höhe und zeigen ihre scharfen Krallen.
Nun schickt der Direktor die Löwen wieder zurück auf die Manegenkreisbahn. Dort hält er einen Reifen und die Löwen schlüpfen nacheinander hindurch. Dann stellen sie sich in einer Reihe auf die Hinterbeine und winken den Zirkusgästen mit ihren Pfoten zum Abschied zu.
Danach schleichen sie auf allen vier Pfoten aus der Manege und wackeln dabei langsam mit dem Kopf.

Der Zirkus kommt! – Teil 2

Der Zirkusdirektor kündigt nun eine besondere Attraktion an. Zwei Zirkusarbeiter spannen ein Seil. Eine Seiltänzerin und ein Seiltänzer betreten die Manege. Die Zirkuskapelle spielt eine flotte Musik. Die Seiltänzer beginnen nun, hintereinander auf dem Seil zu balancieren. Sie gehen vorwärts und rückwärts auf den Zehenspitzen, mit ausgestreckten Armen, damit sie das Gleichgewicht gut halten können. Sie drehen sich auf dem Seil, springen in die Höhe und landen wieder auf dem Seil. Sie halten sich an den Händen und gehen zusammen – immer sehr vorsichtig – von einem Ende des Seils zum anderen. Vom Zirkusdirektor erhält jeder von ihnen einen ein Stab, den sie mit beiden Händen waagerecht halten, um besser balancieren zu können. Nachdem sie die Stäbe wieder abgegeben haben, holt sich jeder der beiden Seilkünstler einen Zuschauer aus dem Publikum und balanciert nun mit ihm über das Seil. Die Seiltänzer führen die Zuschauer dabei an den Händen, damit sie auch sicher über das Seil kommen. Dann werden die Besucher zurück zu ihren Plätzen gebracht und die Vorführung der Seilkünstler ist beendet.

Bei der nächsten Nummer sind die Elefanten die Hauptdarsteller. Mit schweren Schritten, aber ohne Getrampel, schreiten sie in die Manege. Dazu spielt eine passende Musik. Der Direktor zeigt mit der Peitsche oder einem Stab, was die Elefanten machen sollen. Zuerst gehen sie hintereinander im Kreis, dann gehen sie paarweise und der hintere Elefant legt seine Vorderbeine auf den Rücken des vorderen Elefanten. Nun folgt eine schwierige Runde: Der hintere Elefant hält den vorderen Elefanten mit seinem Rüssel am Schwanz fest*.

Die Elefanten setzen sich auf den Manegenrand und halten ihre Vorderbeine in die Höhe. Damit verabschieden sie sich beim Publikum. Mit schweren Schritten verlassen sie die Manege.

Zum Schluss der Vorstellung lässt der Direktor alle Tiere, die zum Zirkus gehören, in die Manege. Da turnen Affen, da watscheln Enten, da stolziert ein Storch durch die Manege. Vögel fliegen umher, Pinguine watscheln und kluge Hunde machen Männchen. Zur Musik der Zirkuskapelle tanzen die Tiere, wie immer sie können – zuerst langsam, dann immer schneller. Allmählich werden sie langsamer und bleiben schließlich stehen. Sie verneigen sich vor dem Publikum und gehen aus der Manege zurück in ihre Käfige. Das Publikum klatscht begeistert.

Der Direktor verabschiedet sich von den Zuschauern. Die Leute stehen auf und strömen den Ausgängen zu, begleitet von den Klängen der Zirkuskapelle.

Wolfgang Flödl

*Eine Hand des Hintermannes hält die Hand des Vordermannes fest, die durch die Beine nach hinten gestreckt wird.

Aus dem Bett und an die Arbeit

Es ist kurz vor sechs, die ersten Sonnenstrahlen scheinen durchs Fenster. Herr Kramer schläft noch. Punkt sechs Uhr klingelt der Wecker – es ist Zeit, aufzustehen! Herr Kramer steigt aus dem Bett, er reckt und streckt sich und geht ins Badezimmer.

Unter der Dusche und lässt er kaltes Wasser über sich laufen. Mit Seife wäscht er den ganzen Körper von oben bis unten, er wäscht sich die Haare, dann trocknet er sich ab. Am Waschbecken putzt er sich die Zähne und gurgelt mit Wasser. Mit einem Kamm kämmt er sich die Haare. Er zieht seine Socken an, dann steigt er in die Unterhose, streift das Oberhemd über und knöpft es zu. Er schlüpft in seine Hose und schließt die Gürtelschnalle. Zum Schluss bindet er sich eine gestreifte Krawatte um. Im Stand bindet Herr Kramer sich die Schuhe.

Er gießt Wasser in die Kaffeemaschine und füllt einige Messlöffel gemahlenen Kaffee ein.

Aus der Kaffeekanne gießt er Kaffee in die Tasse, gibt etwas Milch dazu und einen Löffel voll Zucker und rührt um. Er trinkt aus der Tasse – sehr vorsichtig, der Kaffee ist noch heiß. Mit dem Messer streicht er sich ein Marmeladenbrot und isst es langsam, dazwischen nimmt er immer wieder einen Schluck Kaffee.

Herr Kramer schaut auf die Uhr, steht auf und zieht sich einen Mantel an. Er schließt die Haustür auf, geht hinaus, macht die Tür zu und schließt ab. Sein Arbeitsweg ist kurz.

Herr Kramer setzt sich an seinen Schreibtisch und macht mit seinem Bleistift Notizen über ein Gespräch, das er gestern mit einer Kundin geführt hat. Oha, ein Fehler! Mit dem Radiergummi radiert er den Fehler aus und verbessert. Nach kurzer Zeit ist sein Bleistift stumpf. Er nimmt den Bleistiftspitzer und dreht den Bleistift darin, bis er wieder eine schöne Spitze hat. Herr Kramer prüft sie und pustet die letzten Späne weg.

Da klingelt das Telefon.
Er hebt den Hörer ab und hört zu, was ihm mitgeteilt wird. Mit einer Hand hält er den Hörer und mit der anderen Hand notiert er eine Nummer auf einem Zettel. Er legt den Hörer auf und wählt mit dem Zeigefinger die Nummer, die er sich aufgeschrieben hat. Er hält den Hörer an ein Ohr und wartet, aber es meldet sich niemand. Vorsichtig legt er den Hörer zurück.

Es klopft an der Tür. Herr Kramer steht auf. Er öffnet die Tür und begrüßt seinen Arbeitskollegen, indem er ihm die Hand schüttelt. Nach einem kurzen Gespräch verabschiedet sich der Besucher.

Inzwischen ist es Zeit für eine Pause. Herr Kramer holt einen Apfel und eine Banane aus der Schreibtischschublade. Mit einem Messer schält er den Apfel, befreit ihn vom Kerngehäuse und schneidet ihn in Viertel. Voll Genuss beißt er in den Apfel.
Dann zieht er die Schale von der Banane ab, Streifen um Streifen, und lässt sich die süße Frucht schmecken.

Dann schaut Herr Kramer erst auf seinen Tischkalender und dann auf die Uhr: Es ist fünf vor zehn, um zehn Uhr beginnt die Sitzung, die er in seinem Kalender notiert hat. Herr Kramer steht auf, rückt den Bürostuhl zurecht und verlässt sein Büro.

Wolfgang Flödl

Ein Waldspaziergang im Sommer

Hörgeschichte zu Seite 25 | A4

Die Sonne scheint, es ist herrlich warm. Wir machen einen Morgenspaziergang über den moosigen Waldboden – wir gehen langsam und gemütlich, damit wir alles, was wir sehen, auch gut wahrnehmen können.

Unsere Sandalen tragen wir in der Hand und gehen barfuß. Dabei treten wir ganz vorsichtig auf, damit wir auf keinen Käfer, keine Schnecke und kein Insekt treten. Wir wollen auch nicht aus Unachtsamkeit eine Blume zertreten.

Die Waldwiese ist tau-nass. Wenn wir auf die andere Seite der Waldlichtung kommen wollen, müssen wir durch das feuchte, hohe Gras. Um möglichst wenig Schaden anzurichten, gehen wir hintereinander, ganz vorsichtig auf den Zehenspitzen. Wir müssen uns sehr anstrengen, damit wir das Gleichgewicht halten können.
Auf der anderen Seite der Wiese haben wir Zeit, die schönen, farbigen Blumen am Wiesenrand anzuschauen. Wir bücken uns, betrachten sie genau und riechen an der einen oder anderen Blume.

Jenseits des Waldes liegt Ackerland. Unversehens kommen wir an ein Getreidefeld, wo noch viele Stoppeln stehen. Wir ziehen unsere Sandalen an, müssen aber trotzdem aufpassen, dass die harten, spitzen Stoppeln unsere Füße nicht verletzen. Behutsam machen wir Schritt um Schritt. – Geschafft!

Wir gehen barfuß weiter, aber schon bald kommen wir auf einen frisch geteerten Straßenabschnitt, der von der Sonne stark aufgeheizt ist. Die Sandalen wollen wir nicht schon wieder anziehen; wenn wir vorsichtig auftreten, ist es auszuhalten.
An einem kleinen Bach können wir unsere Füße wieder kühlen. Wir waten durch das Wasser und achten dabei darauf, dass wir weder unsere Kleidung noch die anderen Kinder nassspritzen. Im warmen Gras trocknen wir danach die Füße.

Jetzt ziehen wir aber unsere Schuhe wieder an, denn wir kommen in ein dichteres Waldstück – barfuß könnten wir uns an den herumliegenden Ästen verletzen. Wir steigen über große und kleine Äste, müssen einmal ganz große Schritte machen und dann wieder ganz kleine, damit wir nicht stolpern.

Damit wir vielleicht auch ein Tier sehen oder hören können, müssen wir ganz leise sein und so vorsichtig gehen, dass die Äste nicht knacken und das Laub nicht zu stark raschelt.

Wir gelangen zu einer Waldlichtung mit weichem, moosbewachsenem Boden. Da ruhen wir uns ein wenig aus. Wir legen uns auf den Boden, schließen die Augen und hören den Vögeln, den Insekten und dem leichten Wind zu, der in den Blättern säuselt.

Nach einiger Zeit gehen wir auf dem kürzesten Weg zurück und erinnern uns dabei an alles, was wir erlebt haben – was wir mit den Augen gesehen, mit den Ohren gehört, mit der Nase gerochen und mit den Füßen gespürt haben.

Wolfgang Flödl

Bewegen im Raum

Zeigekarten zu Seite 33 | A5

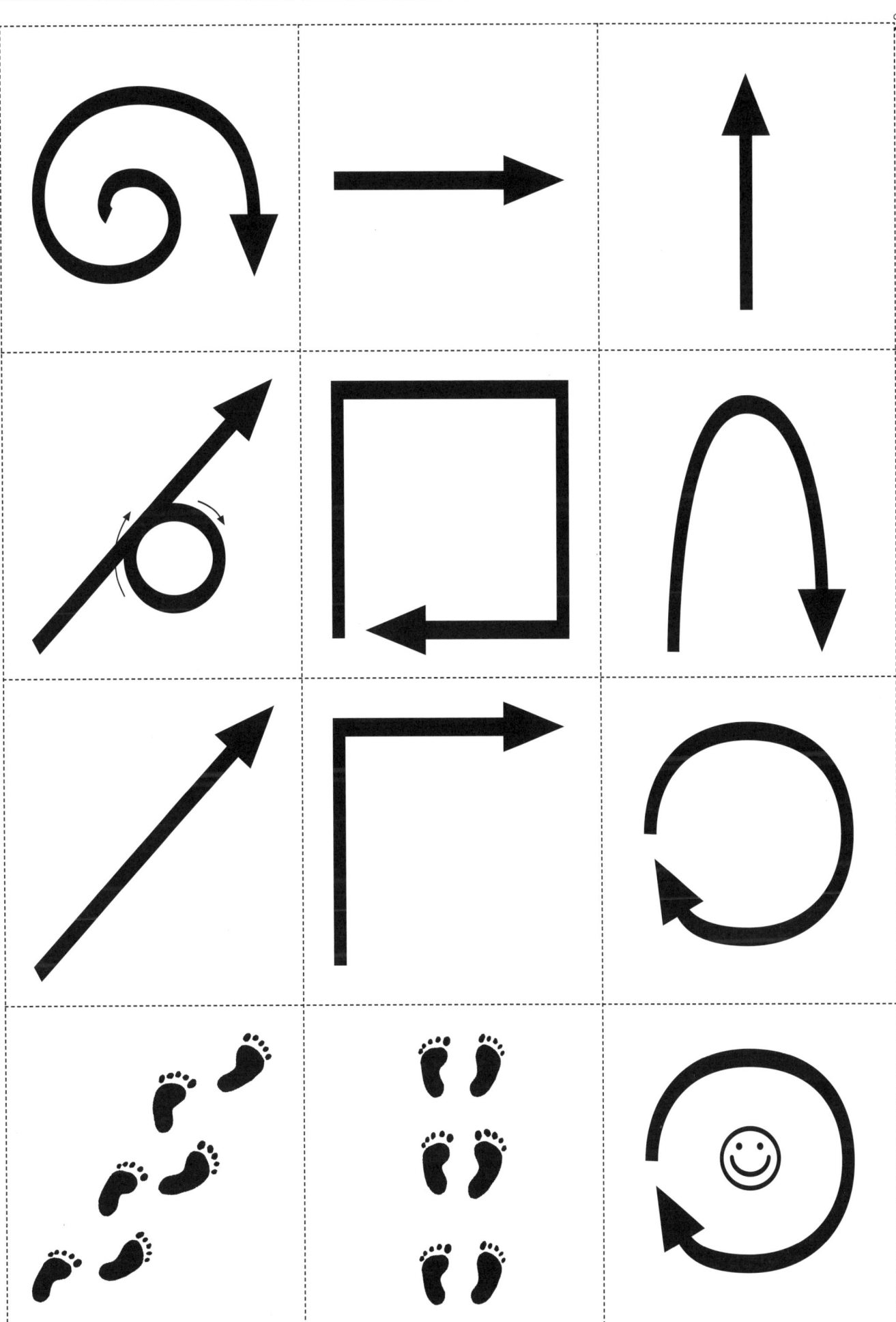

Sehen – hören – riechen – schmecken

Klebevorlage zu Seite 45 | **A6**

Wie nimmst du die Dinge wahr?   Klebe die Bilder von Blatt A7 ins passende Feld.

Sehen – hören – riechen – schmecken   Ausschneidebogen zu A6 | A7

Wie nimmst du die Dinge wahr?   Male, schneide aus und klebe die Bilder auf das Blatt A6.

Rhythmiktücher und Luftballone

Legevorlage zu Seite 46 | A8

Wählt ein Muster und legt es auf dem Boden nach!

r = rot   b = blau   g = gelb   gr = grün

Sinnesschulung – Begriffsbildung
Ausmalblatt zu Seite 50 | A9

Leicht oder schwer? Male alle Dinge an, die schwer sind!

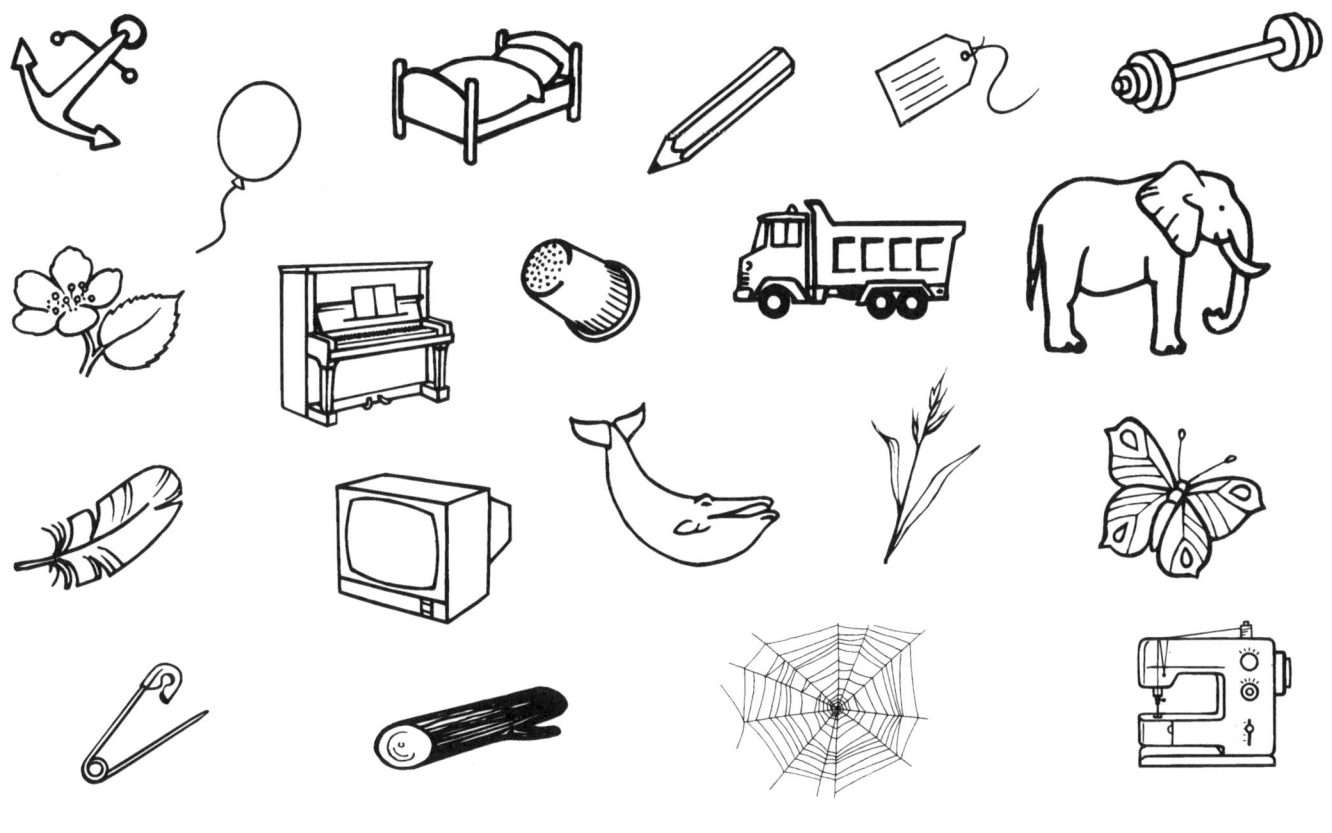

Weich oder hart? Male alle Dinge an, die sich weich anfühlen!

Körperteile 1

Zeigekarten zu Seite 53 | **A10**

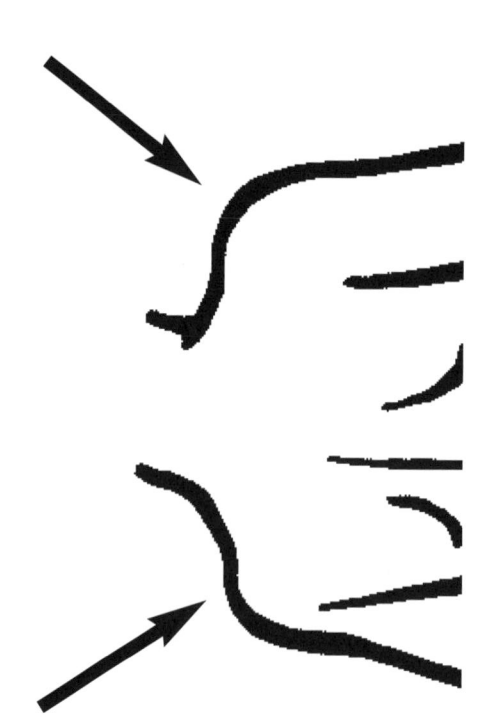
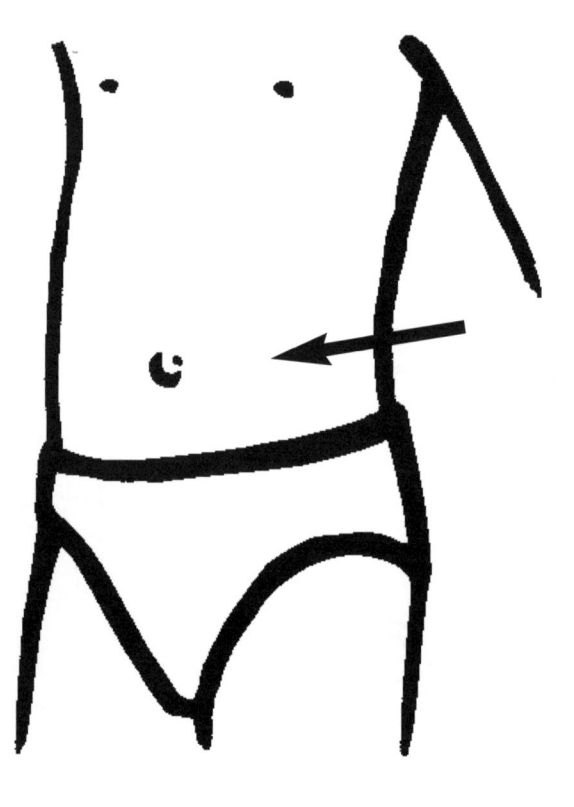

Körperteile 2 — Zeigekarten zu Seite 53 | A11

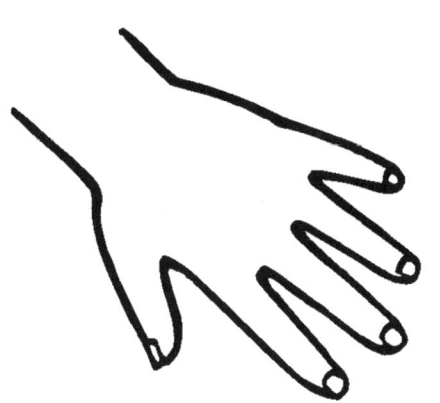
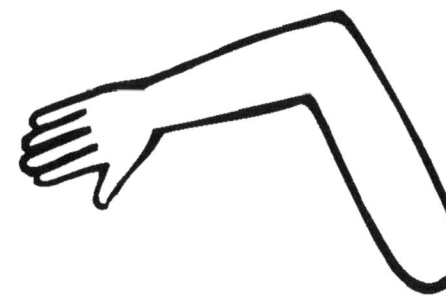

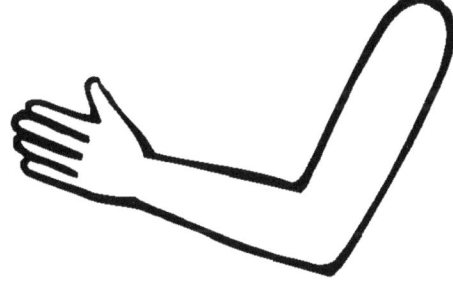
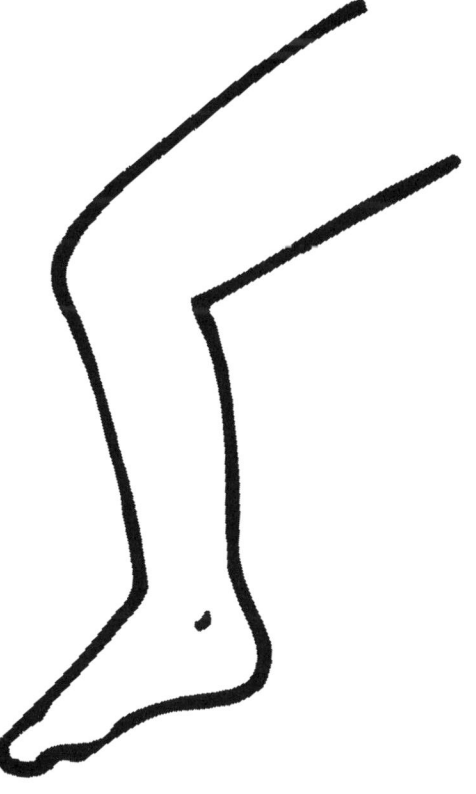

Körperteile 3   Zeigekarten zu Seite 53   A12

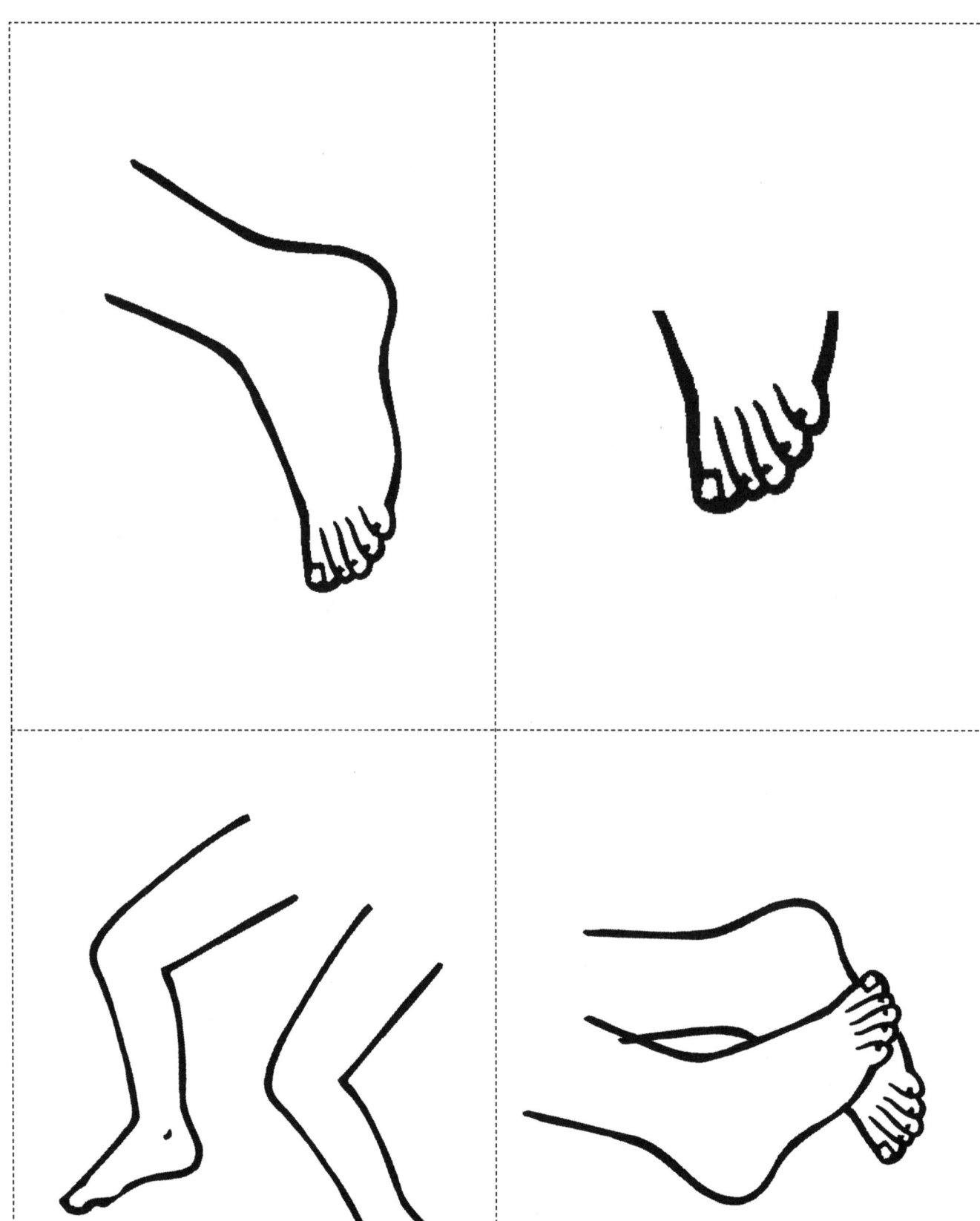

Baue in der Ebene

Vorlage zu Seite 61/62 | **A13**

| r | = rot | b | = blau | g | = gelb | gr | = grün |

Feld 1:
g r b r g
      b
      r
      gr
      r

Feld 2:
g r b r g
r   r
b   b
r   r
g r b r g

Feld 3:
      gr
      r
gr r b r gr
      r
      gr

Feld 4:
b
gr
g
r
b r g gr b

Feld 5: (Kreis)
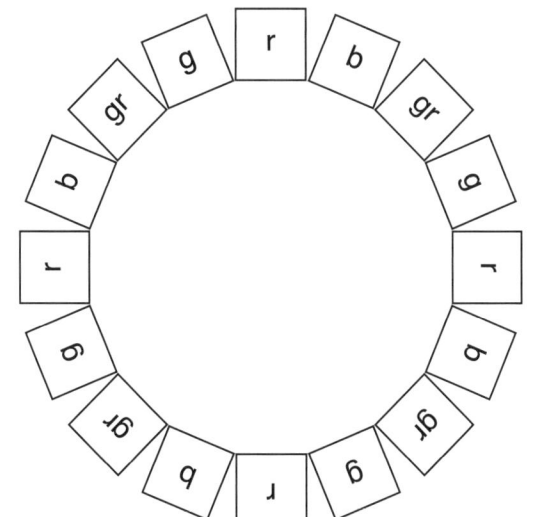

Feld 6:
b g r gr b
gr   g
r   r
   g gr
      b

Baue in die Höhe Vorlage zu Seite 61/62 | A14

| r | = rot | b | = blau | g | = gelb | gr | = grün

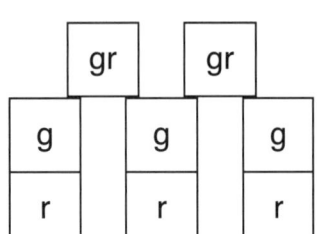

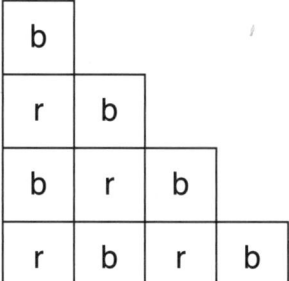

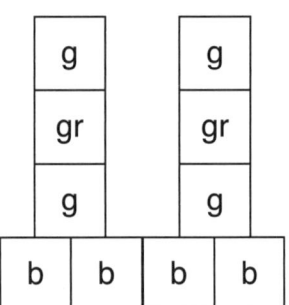

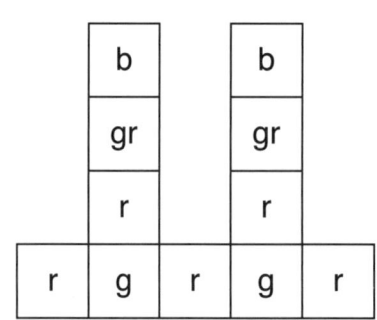

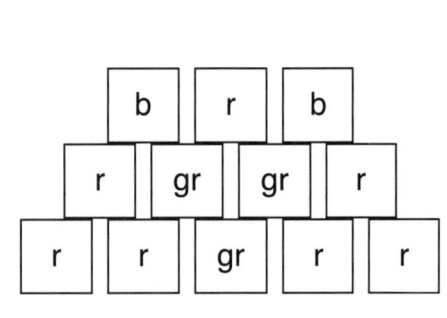

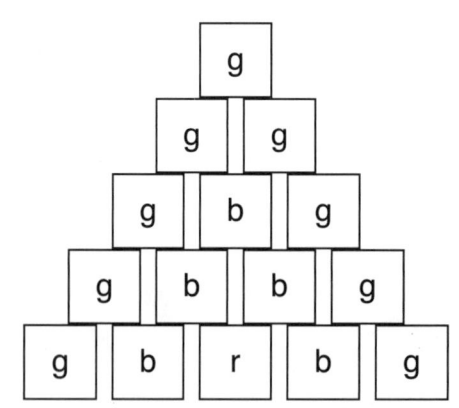